Desarrollo e implementacion de un prototipo funcional

Mary Laura Aguilar González

Desarrollo e implementación de un prototipo funcional

Fábrica Digital de la Universidad FH Vorarlberg, Austria

Editorial Académica Española

Imprint

Cover image: www.ingimage.com

Publisher:
Editorial Académica Española
is a trademark of
International Book Market Service Ltd., member of OmniScriptum Publishing Group
17 Meldrum Street, Beau Bassin 71504, Mauritius

Printed at: see last page
ISBN: 978-620-0-33697-2

ÍNDICE GENERAL

ÍNDICE DE FIGURAS

ÍNDICE DE TABLAS

ÍNDICE DE DIAGRAMAS

ÍNDICE DE GRÁFICOS

Resumen

La Fábrica Digital de la Universidad de Vorarlberg, Austria, carece de una demostración funcional, lo cual limita la ilustración, enseñanza e investigación de diferentes aspectos de la fabricación digital. Con el fin de demostrar las capacidades de este laboratorio, se fabricaron *Fidget Spinners* como piezas de prueba. Para esto fue necesario el desarrollo de archivos CAD y CAM para el diseño y manufactura de las piezas, una estrategia de fabricación utilizando únicamente el equipo disponible en el laboratorio, y el diseño e implementación de programas para los brazos robóticos con los que se cuenta en la fábrica. Finalmente, de las pruebas realizadas todas fueran exitosas, cumpliéndose así los estándares de calidad del cliente.

Palabras claves: *Fidget spinner*, *finger cap*, rodamiento, CAD, CAM, CNC.

Abstract

Digital Factory at the University of Vorarlberg, Austria, lacks a functional demonstration, which limits the illustration, teaching and research of different aspects of digital manufacturing. In order to demonstrate the capabilities of this laboratory, Fidget Spinners were manufactured as test pieces. This required the development of CAD and CAM files for the design and manufacture of the parts, a manufacturing strategy using only the equipment available in the laboratory, and the design and implementation of programs for the robotic arms available in the factory. Finally, of the tests carried out, all were successful, complying with the client's quality standards.

Keywords: Fidget spinner, finger cap, bearing, CAD, CAM, CNC.

Entorno del proyecto

El trabajo para este proyecto se llevó a cabo en el Centro de Investigación para Tecnologías de Producción Futura en FH Vorarlberg. Este Centro de Investigación está estableciendo un nuevo laboratorio que contiene una Fábrica Digital, que puede replicar escenarios de producción integrados digitalmente de la vida real. La infraestructura del laboratorio consta de varias fresadoras, varios robots convencionales y de colaboración, sistemas de transferencia, almacenamiento inteligente, máquinas de medición automatizadas, entre otras, como se muestra en la Figura 1.

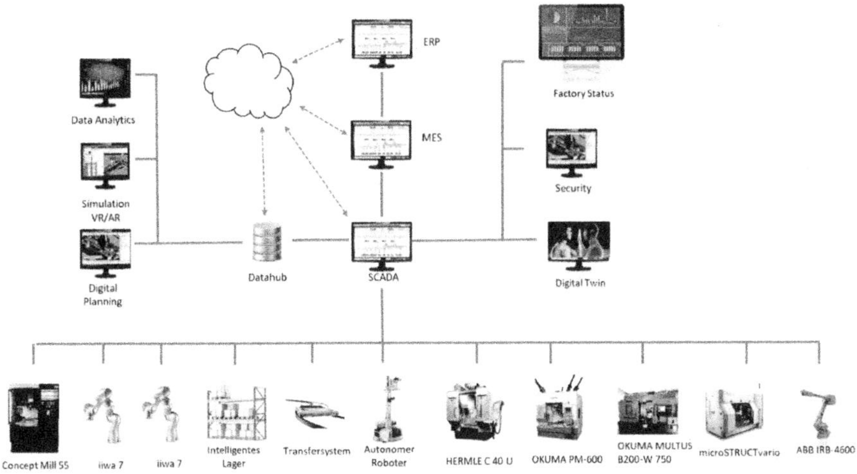

Figura 1. Infraestructura del Laboratorio del Centro de Investigación.

Los controladores de máquina individuales están conectados digitalmente a través de un sistema SCADA, que se puede usar para proporcionar interfaces de usuario a nivel de guía de fábrica. El sistema es totalmente programable y puede adaptarse para conectarse a controladores de máquinas adicionales o sistemas de control de nivel superior (por ejemplo MES), puede suministrar datos en tiempo real a una base de datos externa, conectarse a la nube o desarrollarse para proporcionar o analizar cualquier información desde el nivel del controlador.

Definición del problema

Generalidades

Para demostrar las capacidades de la Fábrica Digital, se requiere una pieza de prueba que se pueda fabricar con el equipo existente. La pieza debe ser lo suficientemente simple para requerir una cantidad limitada de pasos de fabricación y un tiempo de fabricación limitado, pero debe incorporar un conjunto suficiente de operaciones para servir como un prototipo funcional para la fabricación digital. Una de esas partes demostrativas podría ser un *spinner*, que requiere un cuerpo fabricado por CNC a partir de plástico o aluminio, y un rodamiento y *finger caps* que deberán ensamblarse en el centro del cuerpo. La configuración de la parte de demostración debe ser configurable por los clientes, por ejemplo, en una tienda web.

Síntesis del problema

Carencia de un prototipo funcional en la Fábrica Digital, lo cual limita la ilustración, enseñanza e investigación de diferentes aspectos de la fabricación digital.

Enfoque a la solución

El proyecto comienza con un análisis del estado del arte y la investigación de la literatura sobre el tema. Se recopilan las habilidades y debilidades de la Fábrica Digital. A partir de esta información, se desarrolla y evalúa uno o más diseños. La selección del diseño más adecuado se realiza en cooperación con el personal de FHV. Después de seleccionar una pieza, se fabrica un prototipo en el taller, se desarrolla un plan de fabricación; los programas de control y CNC se derivan de la información CAD. Se escribe e implementan los programas faltantes, que son necesarios para la fabricación automática en la fábrica. Finalmente, la capacidad de la fábrica se demuestra con varias pruebas.

Cabe destacar que para la realización de este proyecto se debe resolver un problema de ingeniería interdisciplinaria puesto que se combinan temas de diseño mecánico, programación y robótica, por lo que un ingeniero mecatrónico cuenta con los conocimientos para resolver dicho problema.

Objetivo general

Desarrollar un prototipo funcional personalizable y su plan de fabricación adaptable para Digital Factory Vorarlberg.

Objetivos específicos

1. Realizar el diseño mecánico de la pieza y su respectiva manufactura.

Entregable: Archivos CAD y CAM.

2. Desarrollar una estrategia de fabricación digital utilizando los equipos disponibles en el laboratorio de la Fábrica Digital, para así lograr la demostración funcional del proyecto.

Entregable: Secuencia de pasos para la fabricación y logística.

3. Diseñar e implementar funciones para integrar sistemas de planificación y control en una jerarquía de software de fabricación digital.

Entregable: Conjunto de archivos de configuración para el equipo de automatización.

4. Idear un plan de validación para comprobar si la pieza confeccionada cumple con los estándares de calidad establecidos.

Entregable: Datos y tablas correspondientes al plan de validación.

Requerimientos de la solución

1. Se requiere que el diseño del cuerpo del *spinner* luzca, en la medida de lo posible, similar al juguete promedio, pero que a la vez, no sea muy complejo para que en los procesos de transporte, ensamblaje y manufactura en la CNC Emco, el agarre de este sea mucho más estable. Además, se debe crear al menos 3 diseños distintos, en los cuales deberá ir aumentando su complejidad.

2. El cliente solicita que las dimensiones para el cuerpo del *spinner* sean las siguientes: 70 mm de largo, 35 mm de ancho y 7 mm de altura. Además, que el material sea de plástico.

3. El proceso de fresado del contorno exterior se debe realizar en una máquina CNC disponible en el laboratorio mLab de la Universidad FH Voralberg.

4. Otro de los requerimientos consiste en fabricar los *finger caps*, almacenamientos y estaciones de ensamblaje utilizando la impresora 3D disponible en la fábrica digital.

5. Es necesario crear una forma de almacenamiento para cada una de las 3 distintas partes que conforman el *Fidget Spinner* (cuerpo, rodamiento y *finger caps*), esto con el fin de que dichos elementos estén acomodados convenientemente de tal manera que a la hora de ser tomados por las pinzas sujetas a los brazos robóticos, el agarre sea óptimo.

6. Se debe contar con un espacio para realizar el correcto ensamblaje de los componentes que conforman el *Fidget Spinner*, teniendo en cuenta que los robots no colisionen contra la mesa de trabajo ni entre sí.

7. Se requiere de pinzas adecuadas para el transporte y ensamblaje de los elementos que conforman un *Fidget Spinner*.

8. Es indispensable contar con una estructura adecuada y muy resistente en la cual se asegure la base de los brazos robóticos para que, sin importar el movimiento que ellos realicen, estos siempre queden sujetos a dicha estructura y así evitar accidentes.

Procedimiento para la ejecución del proyecto

Creación de archivos CAD y CAM

Se requiere utilizar el software SolidWorks para diseñar un *spinner* con geometría variable (forma, número de alas, tipo, forma de los pesos, etc.) y todos los componentes necesarios. Posteriormente se hará uso del software Hypermill para generar archivos CAM, optimizarlos y probarlos en un entorno de simulación. Si es necesario, se realizarán modificaciones en el postprocesador o se generará un pequeño analizador para hacer que el código CNC resultante sea compatible con la CNC de la Fábrica.

Estrategia de fabricación

Se requiere idear una estrategia de fabricación. Esta es, en esencia, una secuencia de pasos de fabricación y logística que deben ejecutarse en la Fábrica, por lo que la pieza podrá ser fabricada. Se deberá programar dicha secuencia en el Sistema de Ejecución de Fabricación y probarla produciendo muestras de la pieza. Para poder crear esta secuencia, se tendrá que comprender los principios de fabricación flexible y automatizada y las capas de control de la Fábrica.

Diseño e implementación de funciones

Se requiere diseñar e implementar programas y configuraciones de los brazos robóticos con los que se cuenta en el laboratorio, para así integrar el ensamblaje y la logística con los sistemas de control de la Fábrica Digital.

Plan de validación

Con el propósito de asegurar que la fabricación de los productos se ejecute de acuerdo a los estándares de calidad requeridos, se fabricarán varias muestras del producto y en cada una de ellas se tomará mediciones de distintas partes varias veces, para posteriormente tabular los promedios y así obtener una desviación estándar.

Marco teórico

Fidget Spinner

González (2017) define un *Fidget Spinner* como una pieza de plástico, de (normalmente) tres brazos y acabados redondeados, que gira. Ver Figura 2.

> Pero detrás de su simple diseño hay mucho más: una ingeniosa forma de conseguir que el giro se prolongue en el tiempo y una satisfacción al verlo girar que ya ha conseguido ganarse a millones de niños (y no tan niños) por todo el mundo. (González, 2017, párr. 1)

> La gracia está en que poseen un rodamiento en el centro y tres contrapesos en los extremos. Estos últimos giran en sentido contrario al rodamiento central. Con esta combinación, el giro del dispositivo entero se prolonga durante minutos. (González, 2017, párr. 3)

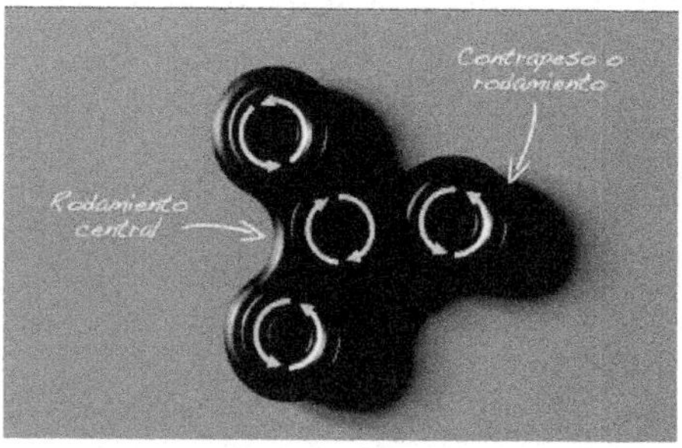

Figura 2. *Fidget Spinner.*

Las partes del *Fidget Spinner* donde se colocan los dedos para lograr girar este juguete, se les llama *finger caps*. Dichas partes son idénticas y se sitúan a ambos lados del rodamiento.

CNC, CAD y CAM

Control Numérico por Computadora (CNC) es un sistema que permite controlar en todo momento la posición de un elemento físico, normalmente una herramienta que está montada en una máquina. Esto quiere decir que mediante un software y un conjunto de órdenes, se controla las coordenadas de posición de un punto (la herramienta) respecto a un origen (0,0,0 de máquina), o sea, es una especie de GPS pero aplicado a la mecanización, y muchísimo más preciso. (COSMOCAX, 2007, párr. 2)

El CNC controla todos los movimientos de la herramienta cuando estamos fabricando, y no solo controla las coordenadas que hemos visto, sino también, la manera de desplazarse entre ellas, su velocidad, y algunos parámetros más. (COSMOCAX, 2007, párr. 4)

Actualmente existen dos tipos de programación en CNC: la programación a pie de máquina y la programación CAD/CAM.

En el sistema CAD (*Computer-Aided Design*) la pieza que se desea maquinar se diseña en la computadora con herramientas de dibujo y modelado sólido. (Peters, 2018, párr. 1)

Posteriormente el sistema CAM (*Computer-Aided Manufacturing*) toma la información del diseño y genera la ruta de corte que tiene que seguir la herramienta para fabricar la pieza deseada. A partir de esta ruta de corte se crea automáticamente el programa de maquinado, el cual puede ser introducido a la máquina mediante un dispositivo de almacenamiento o enviado directamente desde una computadora. (Peters, 2018, párr. 3)

De forma más resumida: Utilizando la programación CAD/CAM el usuario representa gráficamente la pieza en un software de dibujo, ingresa los parámetros de corte, realiza la simulación del mecanizado, obteniendo automáticamente el programa, el cual transmite a la CNC para el mecanizado real de la pieza. (Carrasco, 2006, p. 75)

Robot Industrial

Mecánicamente los robots industriales manipuladores están conformados por una serie de elementos o eslabones unidos mediante articulaciones que permiten un movimiento relativo entre cada dos elementos consecutivos. La constitución física de la mayor parte de los robots industriales guarda cierta similitud a la anatomía del brazo humano (...) (Mellado, 2009, p. 57)

Por tanto, un robot es (generalmente) una cadena cinemática abierta. La cadena cinemática es abierta porque:

- Un extremo está fijo a la base del robot.
- El otro, equipado con el elemento o efector terminal está libre y se desplaza por el espacio según varíen las articulaciones del robot. (Mellado, 2009, p. 57)

(….) Cada uno de los movimientos independientes que puede realizar cada articulación con respecto a la anterior, se denomina eje del movimiento del robot. El número de ejes de movimiento del robot viene dado por la suma de los ejes de movimiento de las articulaciones que lo componen. Puesto que las articulaciones empleadas son generalmente las de rotación y prismática con un solo eje de movimiento cada una, el número de ejes de movimiento del robot suele coincidir con el número de articulaciones que se compone. (Mellado, 2009, p. 57)

Existe un método de programación de robots llamado programación por guiado, en el cual se guía al robot a lo largo de la trayectoria, dirigiendo los movimientos deseados y se van almacenando las posiciones y orientaciones por las que pasa. Por tanto, consiste en un proceso de enseñanza y repetición que se realiza directamente a pie del robot con la unidad de control disponible en el robot. En el proceso de enseñanza, la parte fundamental es la de movimiento o guiado del robot. Esta puede realizarse de modo activa, en el cual se mueve el robot utilizando un dispositivo de guiado. Es el método más utilizado para guiado de los robots industriales. Durante el proceso de guiado o enseñanza se guardan las variables de articulación en cada configuración almacenada así como parámetros y señales de activación/desactivación de la herramienta o control de señales de entrada/salida. (Mellado, 2009, pp. 123-124)

Propuesta de solución

Diseño y manufactura

1. Cuerpo del *spinner*

Dado el primer requerimiento, se prefiere que el diseño del cuerpo del *spinner* posea únicamente 2 contrapesos (ver Figura 1) para obtener un agarre más estable del cuerpo por parte de las pinzas. Además, se diseñan dichos contrapesos en sus extremos redondeados para que luzca como la versión del juguete promedio. Como se requería de un diseño simple del contorno exterior, se agregan agujeros al cuerpo para contrarrestar esto y que el diseño final no sea demasiado básico y poder así, demostrar las capacidades de la Fábrica Digital. Es por esta razón que dichos agujeros quedaron a diseño libre (la cantidad, la posición y el tamaño).

La materia prima a utilizar corresponde a plástico POM de dimensiones: 74 mm de largo, 39 mm de ancho y 16,5 mm de altura. Ver Figura 3.

Figura 3. Materia prima.

El proceso de fresado del contorno exterior del cuerpo del *spinner* se realizó con una de las máquinas CNC Hermle con las que cuenta el laboratorio mLab, la cual se muestra en la Figura 4.

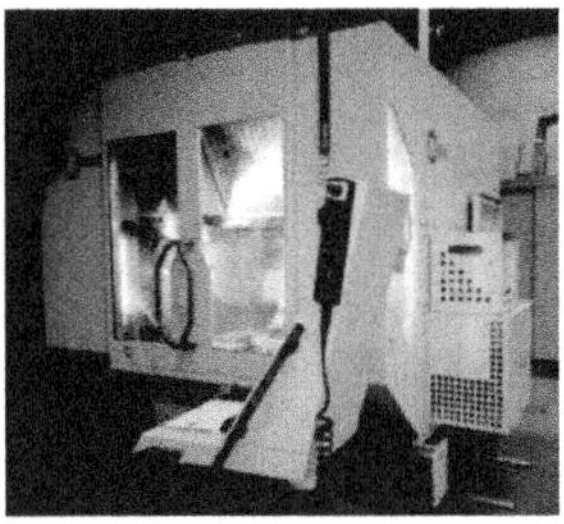

Figura 4. CNC Hermle utilizada.

Se diseñaron 3 versiones para el cuerpo del *spinner*, las cuales presentan las mismas dimensiones: 70 mm de largo, 35 mm de ancho y 7 mm de altura.

En las Figuras 5, 6 y 7 se presentan los diseños digitales del cuerpo del *spinner* de las versiones 1, 2 y 3, respectivamente.

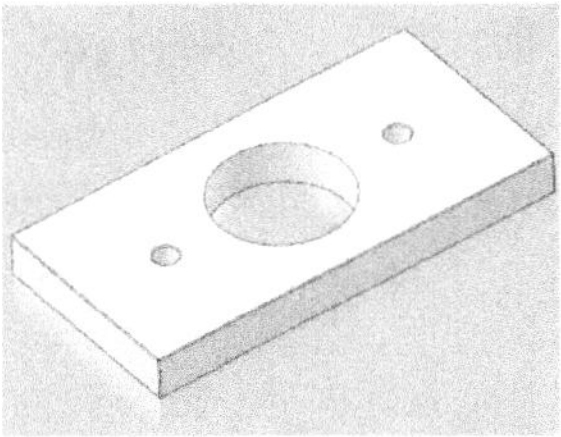

Figura 5. Versión 1 digital.

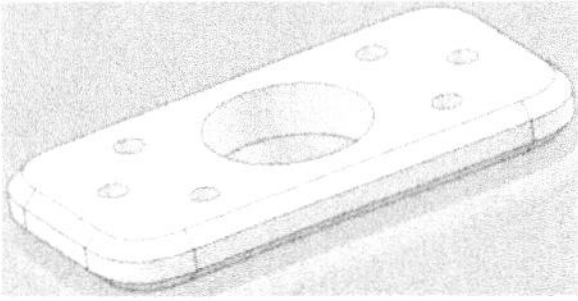

Figura 6. Versión 2 digital.

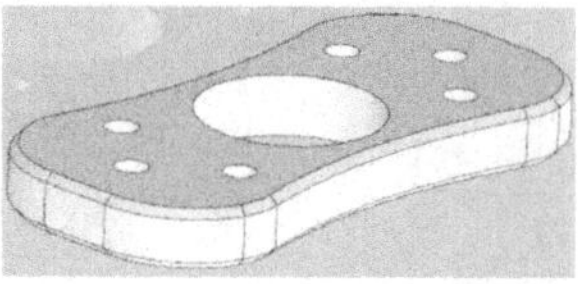

Figura 7. Versión 3 digital.

2. *Finger caps*

Digital Factory desea fabricar sus propios componentes (a excepción de los rodamientos), por lo que al principio se toma como modelo *finger caps* de rosca que fueron comprados (ver Figuras 8 y 9).

Figura 8. *Finger caps* de rosca modelo.

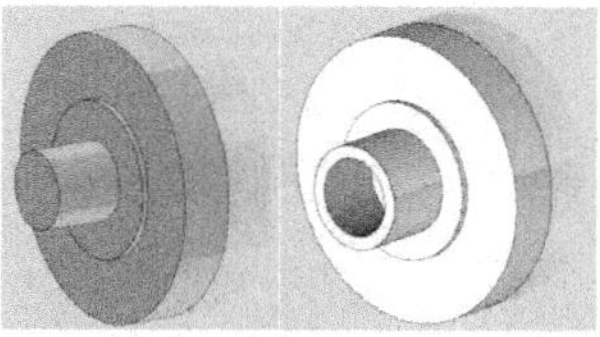

Figura 9. *Finger caps* de rosca digital.

Posteriormente, se llegó a la conclusión de que programar el robot para que sea capaz de ensamblar este tipo de *finger caps* no sería nada sencillo, por lo que se decide probar otras variantes.

Otro tipo de *finger cap* que se toma como modelo es el que funciona a presión (ver Figura 11*)*.

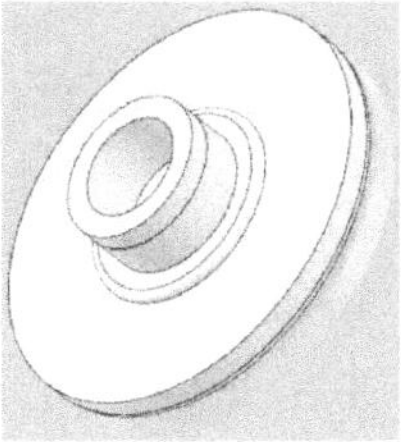

Figura 10. *Finger cap* a presión digital.

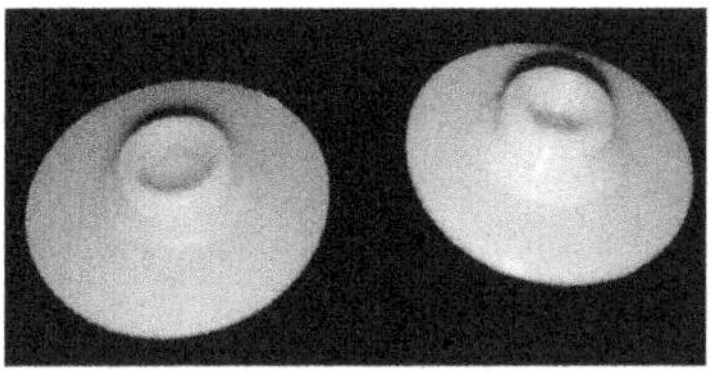

Figura 11. Modelo (comprado) vs. Impresión en 3D.

Dado que la impresora 3D (ver Figura 12) no era de buena resolución, esta imprimía *fingers caps* con dimensiones ligeramente distintas a las del archivo CAD. Debido a esto, se crearon e imprimieron múltiples pruebas para así obtener el mejor acople posible entre el rodamiento y los *finger caps*. El material utilizado corresponde a filamento de plástico ABS de 1,75 mm.

Figura 12. Impresora 3D de Digital Factory.

A causa de lo mencionado anteriormente se sugiere diseñar (ver Figura 13) e imprimir (ver Figura 14) una contraparte para aquellas piezas que quedaban holgadas.

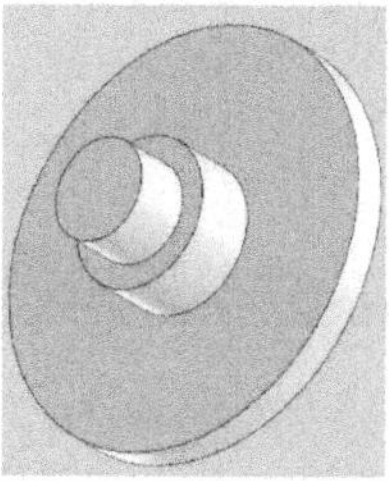

Figura 13. Contraparte digital.

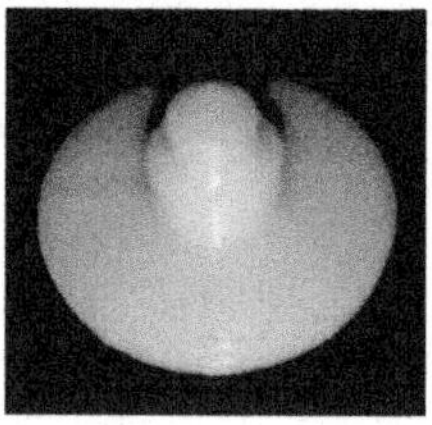

Figura 14. Contraparte impresa.

3. Almacenamientos

Para verificar que el diseño de estos funcionara, primero se realizó la impresión en 3D de los almacenamientos, pero únicamente para 2 compartimentos de cada uno de los 3 elementos que conforman el *spinner* (cuerpo, rodamientos y *finger caps*). Ver Figuras 15, 16, 17, 18, 19 y 20.

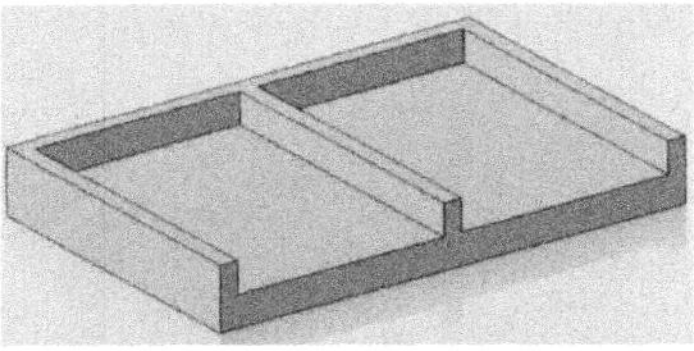

Figura 15. Almacenamiento del cuerpo del *spinner* digital (prueba).

Figura 16. Almacenamiento del cuerpo del *spinner* impreso (prueba).

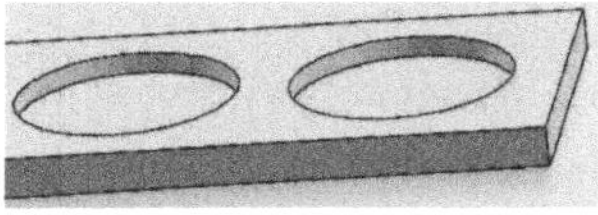

Figura 17. Almacenamiento de rodamientos digital (prueba).

Figura 18. Almacenamiento de rodamientos impreso (prueba).

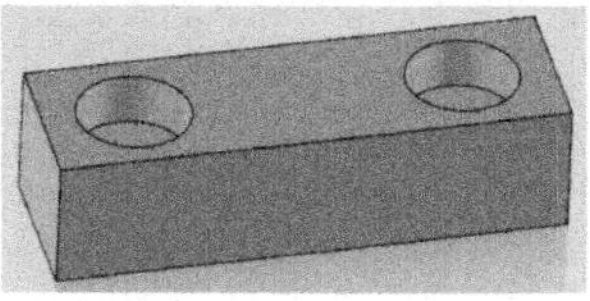

Figura 19. Almacenamiento de *finger caps* digital (prueba).

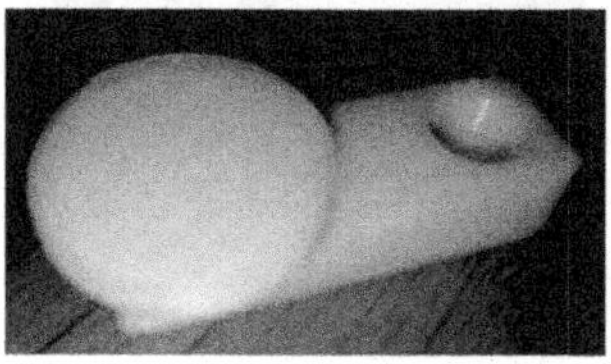

Figura 20. Almacenamiento de *finger caps* impreso (prueba).

Después de llevar a cabo varias pruebas y realizar los cambios necesarios en cuanto a las dimensiones de los almacenamientos, se fabrican nuevos almacenamientos pero variando la cantidad de compartimentos. Ahora se contará con 3 compartimentos para el cuerpo de los *spinners*, uno para cada versión, 5 compartimentos para los rodamientos (ver Figura 22) y 10 para los *finger caps* (ver Figura 23); esto con el fin de obtener una mayor y más rápida producción de *spinners* en la Fábrica Digital.

Figura 21. Almacenamiento del cuerpo de los *spinner* digital.

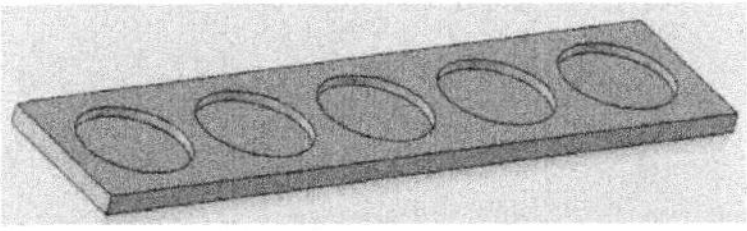

Figura 22. Almacenamiento de rodamientos digital.

Figura 23. Almacenamiento de *finger caps* digital.

4. Estaciones de ensamblaje

Se diseñaron en imprimieron 2 estaciones para ensamblar los elementos que componen el *Fidget Spinner* (1 cuerpo, 1 rodamiento y 2 *finger caps*).

En la primera estación se coloca el cuerpo del *spinner* en el cual se ensambla el rodamiento y el primer *finger cap*. Esta presenta una forma similar a la versión 1 del cuerpo del *spinner* (ver Figura 24) para que cualquiera de las 3 versiones pueda ser colocada en ella.

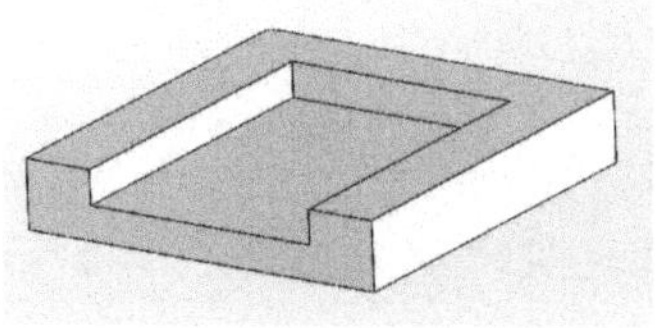

Figura 24. Primera estación de ensamblaje digital.

Después de girar 180º el elemento previamente ensamblado, este se coloca en la segunda estación para finalmente ensamblar el segundo *finger cap*, quedando listo el *Fidget Spinner*. El círculo (ver Figura 25) es para que coincida con el *finger cap* ya ensamblado y así poder crear una superficie más plana y estable para la posterior inserción del segundo *finger cap*.

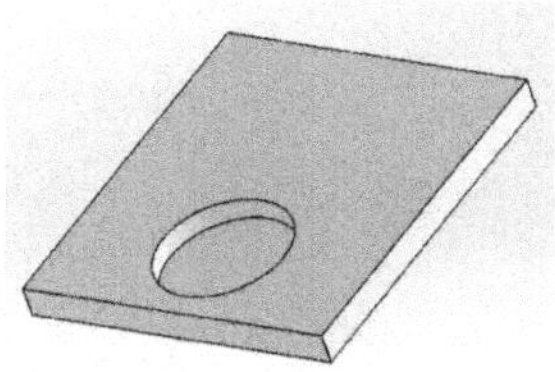

Figura 25. Segunda estación de ensamblaje digital.

5. Diseño y manufactura de elementos para los brazos robóticos

5.1. Pinzas para ensamblaje

Se requiere del diseño de pinzas adecuadas para tomar los rodamientos uno por uno del lugar donde estos se almacenan, colocarlo en el centro del cuerpo del *spinner*, ensamblar este a presión y posteriormente realizar el mismo procedimiento con los *fingers caps*, gracias a que ambos elementos poseen el mismo diámetro.

Para verificar que el diseño realizado funcionaba (ver Figura 26), primero se llevó a cabo la impresión en 3D de las pinzas, se ensamblaron en el adaptador (ver Figura 27) y se pusieron a prueba; posteriormente se realizaron los cambios necesarios (dimensiones) para un mejor agarre de los elementos.

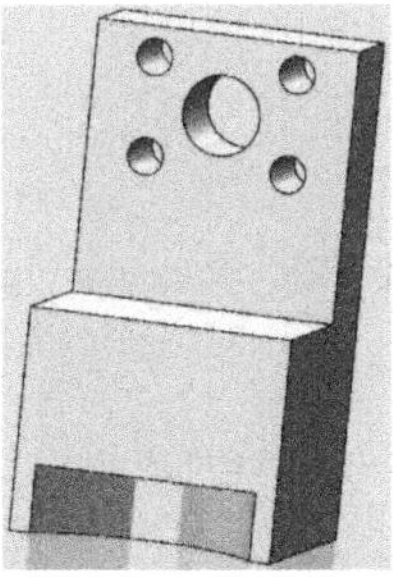

Figura 26. Diseño de pinza digital.

Figura 27. Pinzas impresas y ensambladas.

5.2. Adaptador de pinzas para ensamblaje

Se requiere de un elemento que adaptara dichas pinzas al brazo robótico, como el que se presenta en las Figura 28.

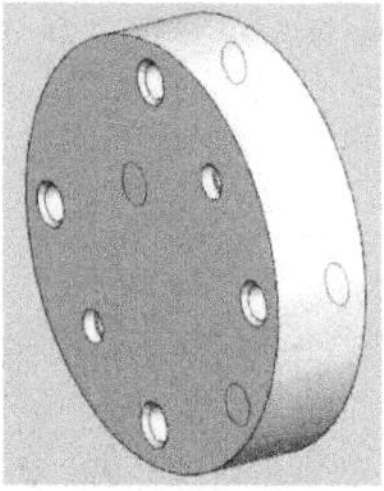

Figura 28. Adaptador digital.

5.3. Adaptador de pinzas para pre-ensamblaje

Para que el robot sea capaz de tomar el cuerpo del *spinner* del lugar donde estos se almacenan, colocarlo dentro de la fresadora CNC Emco, con el fin de realizar los agujeros respectivos, y posteriormente retirar este para el ensamblaje, se necesitan pinzas que se adapten a la situación. Para esto se tomaron unas pinzas simples previamente fabricadas (ver Figura 29) pero se requería de un adaptador para estas, como el que se muestra en las Figura 30.

Figura 29. Pinzas ensambladas.

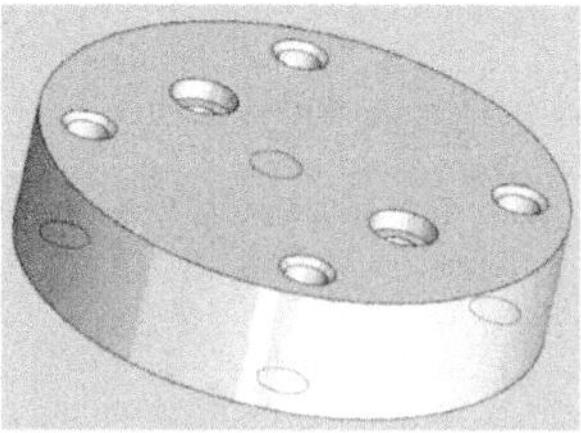

Figura 30. Adaptador digital.

5.4. Placa de montaje

Es primordial que los brazos robóticos permanezcan aferrados, en todo momento, a la mesa de trabajo para así evitar desastres, por lo que la función de la placa de montaje consiste en sujetar los brazos robóticos a dicha mesa por medio de tornillos gruesos y resistentes (ver Figura 31).

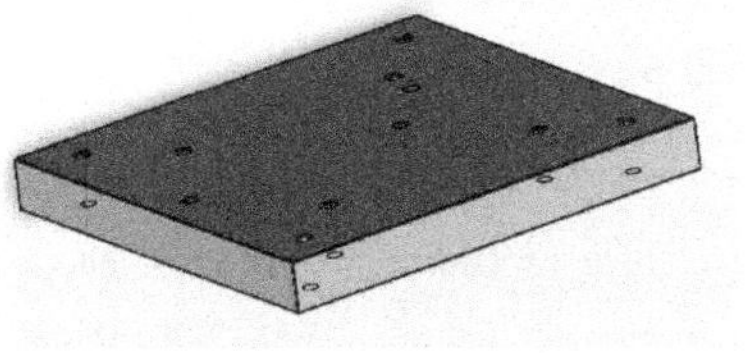

Figura 31. Placa de montaje digital.

Las 3 versiones del cuerpo del *spinner* y los 5 elementos para los brazos robóticos fueron diseñados en un software CAD (SolidWorks), y gracias a este fue posible generar la simulación y programación de su respectiva manufactura en un software CAM (HyperMill) para el posterior mecanizado real de las piezas.

En el caso de los *finger caps*, los almacenamientos y las estaciones de ensamblaje, al ser estos impresos, únicamente se requería de los archivos CAD para generar el formato STL y así definir la geometría en 3D de estas piezas.

Plan de fabricación

El plan de trabajo comienza con el proceso de fresado del contorno exterior de la materia prima. Dicho proceso se realiza fuera de la Fábrica Digital, con una máquina CNC Hermle del laboratorio mLab, el cual también pertenece a la Universidad FH Vorarlberg.

Una vez que se tiene el material prefabricado, se almacena en un área designada para esto. El robot de transporte traslada el material hasta el lugar donde se localiza la fresadora CNC Emco y lo coloca dentro de esta, para así realizar el fresado y taladrado de los agujeros del *spinner*, según el modelo que se haya elegido. Este mismo robot toma el cuerpo del *spinner* previamente manufacturado y lo transporta a la estación de ensamblaje. En esta estación el robot de ensamblaje toma un rodamiento del lugar donde estos se almacenan y lo inserta en el cuerpo del *spinner*, lo mismo hace con un *finger cap*. Posteriormente el robot de transporte gira el cuerpo a 180º para que el robot de ensamblaje tome otro *finger cap* del lugar donde estos se almacenan y lo inserte dentro del rodamiento. Finalmente el robot de transporte toma el *spinner* que se encuentra en la estación de ensamblaje y lo entrega al cliente.

Todo lo anterior se resume en el Diagrama 1, el cual corresponde a la estrategia de fabricación; y en la sección del apéndice A.2 se presenta el plano de la distribución de planta, para una mejor comprensión del proceso de fabricación.

Workplan Fidget Spinner

	Material IN	mLab	CNC (EMCO)	Transport	Assembly	Material OUT
Outsourced	POM raw	mill outer contour				POM prefab
	POM prefab			Put into CNC		
			mill/drill holes			
				Get from CNC		
				Put into Assembly station		
	Bearing				Insert bearing	
	Finger Cap				Insert Finger cap	
				Turn 180°		
	Finger Cap				Insert Finger Cap	
				Get from Assembly station		
Digital Factory				Give to customer		Fidget Spinner

Diagrama 1. Secuencia de pasos para la fabricación.

Programación de robots

Los robots de transporte y ensamblaje mencionados anteriormente, corresponden a brazos robóticos (marca KUKA, ver Figura 32) con métodos de programación por guiado y proceso de enseñanza de modo activo.

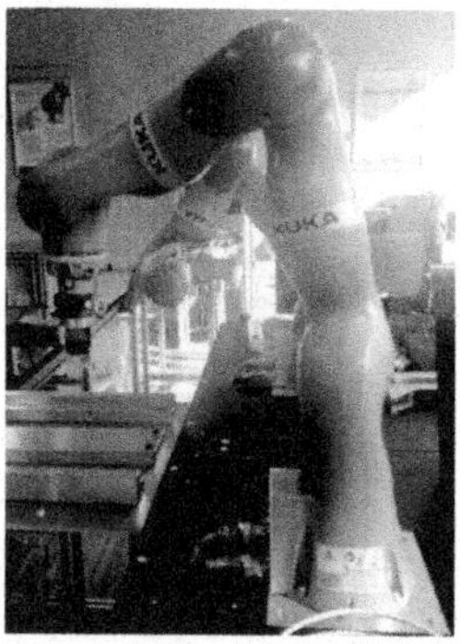

Figura 32. Robots industriales de KUKA.

Se utilizaron únicamente 2 tipos de movimiento:

1. PTP (*Point to point motion*): Trata de alcanzar su valor destino en el espacio de tiempo más corto posible.
2. LIN (*Linear motion*): Recorre una línea recta entre la posición actual y la posición programada.

Programas:

i. El robot de transporte parte de su posición inicial hacia el lugar donde se almacena el cuerpo del *spinner* de cada versión, toma uno de estos (según la versión que el usuario haya elegido) y lo coloca dentro de la CNC. Finalmente regresa a la posición de inicio. Ver Diagrama 2.

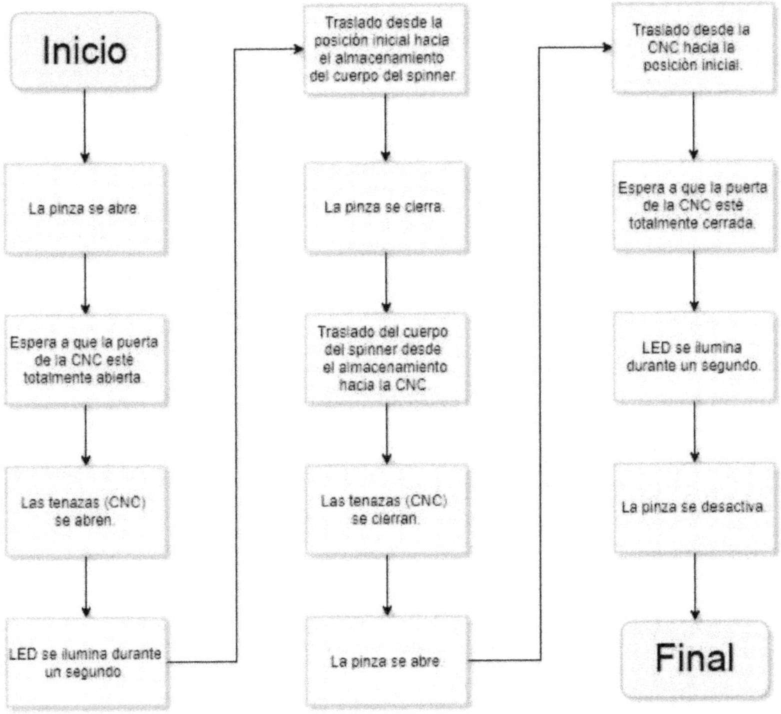

Diagrama 2. Primera secuencia.

Existen otros dos programas muy similares a este, la diferencia radica en que cambia la posición del robot a la hora de tomar el cuerpo del *spinner* según la versión de este que el usuario haya elegido.

ii. El robot de transporte parte de la posición inicial hacia la CNC, retirando el cuerpo del *spinner* y colocándolo en la primera estación de ensamblaje. Ver Diagrama 3.

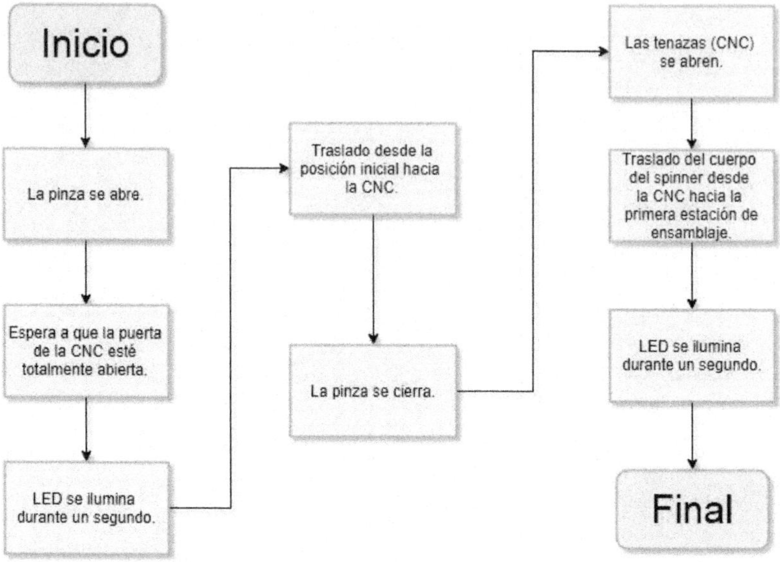

Diagrama 3. Segunda secuencia.

iii. El robot de ensamblaje parte de su posición inicial hacia el lugar donde se almacenan los rodamientos, toma uno de ellos, lo lleva a la primera estación de ensamblaje donde se encuentra el cuerpo del *spinner,* y lo inserta dentro de este. Posteriormente, se traslada desde la estación de ensamblaje hacia el lugar donde se almacenan los *finger caps,* toma el primero de ellos, regresa nuevamente a la primera estación de ensamblaje y lo inserta en el rodamiento previamente ensamblado. Finalmente, dicho robot, regresa a su posición inicial. Ver Diagrama 4.

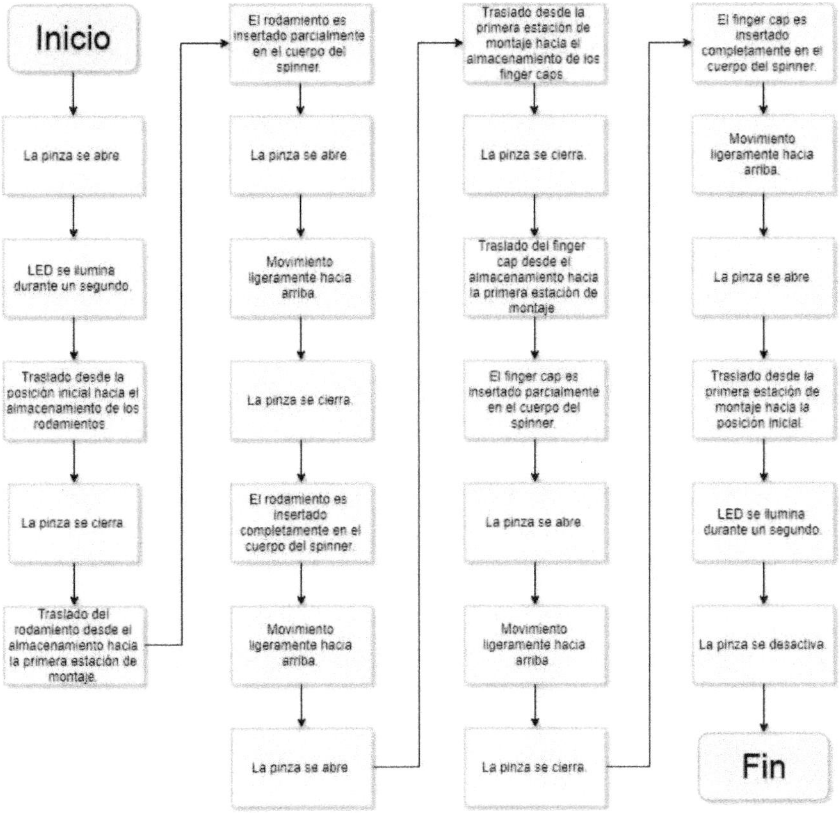

Diagrama 4. Tercera secuencia.

iv. De las secuencias anteriores, el robot de transporte sujeta el cuerpo del *spinner* por lo que en esta nueva secuencia simplemente gira dicho cuerpo a 180° y lo coloca en la segunda estación de ensamblaje. Ver Diagrama 5.

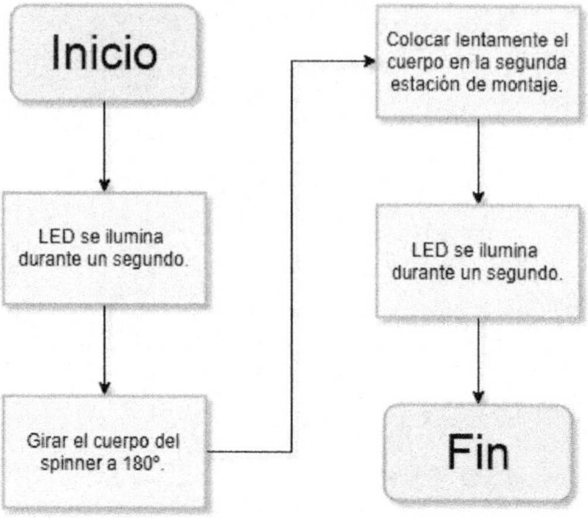

Diagrama 5. Cuarta secuencia.

v. El robot de ensamblaje parte de su posición inicial hacia el lugar donde se almacenan los *finger caps*, toma el segundo de ellos, lo lleva a la segunda estación de ensamblaje, donde se encuentra el cuerpo del *spinner* previamente ensamblado junto con el rodamiento y el primer *finger cap,* y lo inserta dentro de este. Ver Diagrama 6.

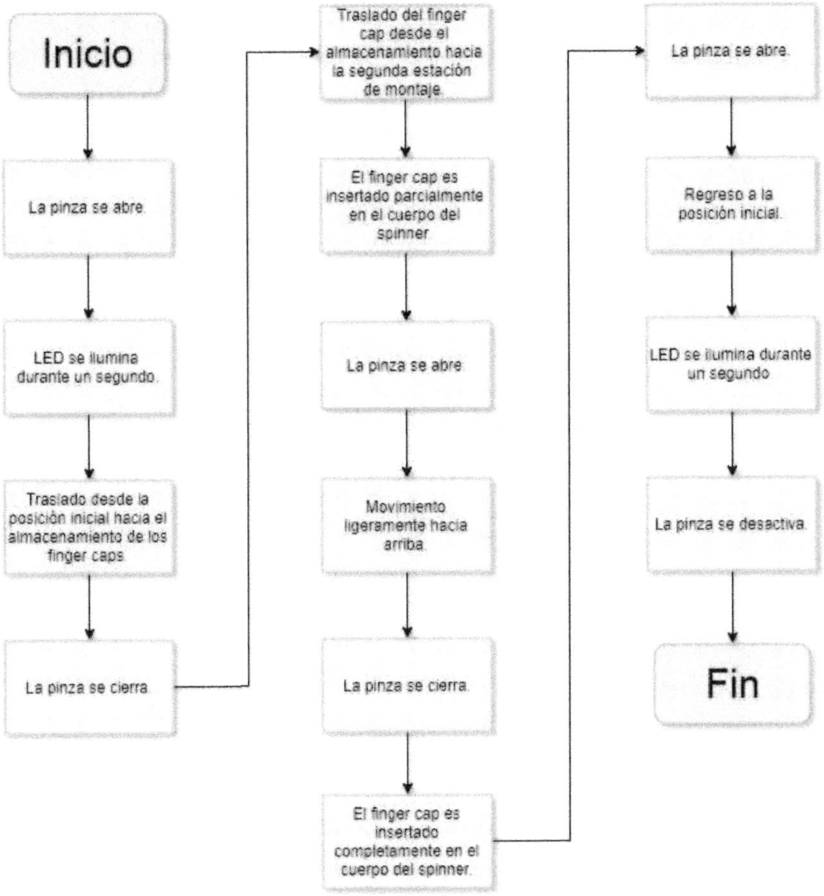

Diagrama 6. Quinta secuencia.

vi. El robot de transporte traslada el *spinner* desde la segunda estación de ensamblaje al lugar donde debe situarse el cliente para recibir el *Fidget Spinner*. Finalmente, dicho robot regresa a la posición inicial. Ver Diagrama 7.

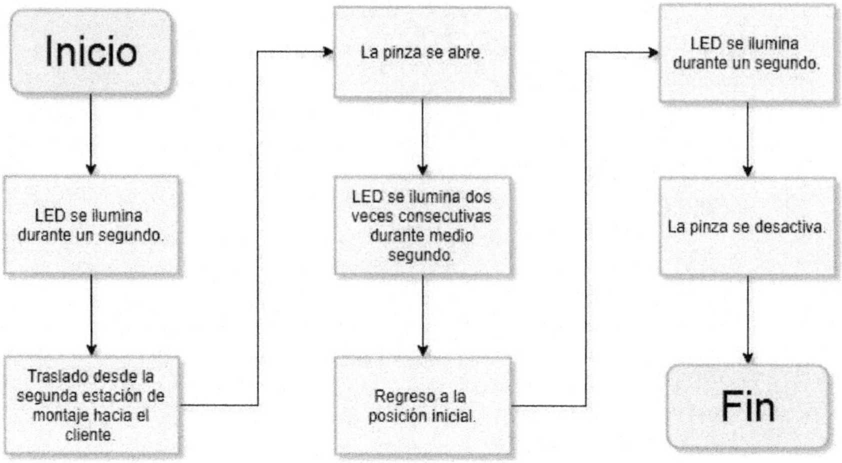

Diagrama 7. Sexta secuencia.

Resultados y análisis de resultados

Diseño y manufactura

1. Cuerpo del *spinner*

En las Figuras 33, 34 y 35 se muestran las 3 versiones del cuerpo del *spinner* mecanizadas. Se manufacturaron 20 piezas para cada una de las versiones.

Figura 33. Versión 1 manufacturada.

Figura 34. Versión 2 manufacturada.

Figura 35. Versión 3 manufacturada.

2. *Finger caps*

Con el propósito de agilizar el proceso, finalmente, se decidió utilizar el *finger cap* a presión sin la contraparte, simplemente generando muchas piezas de la Figura 10 y desechando las que no servían. Todo esto con una pequeña variación, la cual consiste en hacer más ancha la parte del *finger cap* que presenta el mayor diámetro (ver Figura 36) con el propósito de obtener una mejor sujeción, por parte de las pinzas del robot, a la hora de realizar el ensamblaje.

Figura 36. *Finger cap* final impreso vs. *Finger cap* modelo.

3. Almacenamientos

El almacenamiento final del cuerpo de los *spinners* tiene la forma que se muestra en la Figura 21 para que abarque toda la superficie de la estructura sobre la cual este se van a colocar (ver Figura 37). Dicha estructura tiene como propósito que el brazo robótico no colisione contra la mesa de trabajo a la hora de tomar las piezas.

Figura 37. Almacenamiento del cuerpo de los *spinners* impreso.

En las Figuras 37, 38 y 39 se muestran los almacenamientos impresos finales.

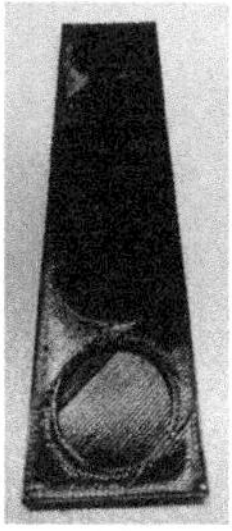

Figura 38. Almacenamiento de rodamientos impreso.

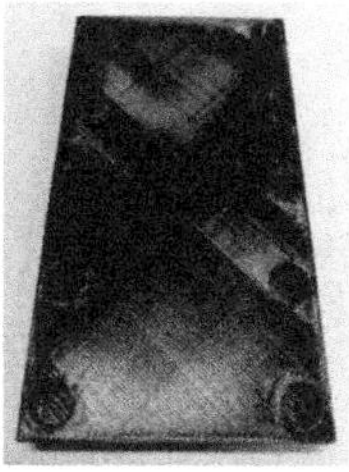

Figura 39. Almacenamiento de *finger caps* impreso.

4. Estaciones de ensamblaje

Estas se colocaron sobre estructuras de metal recicladas (de ahí la diferencia de tamaños entre ambas estructuras) y fueron hechas por impresión 3D, donde cada una de las estaciones presentan las dimensiones de dichas estructuras. Ver Figuras 40 y 41.

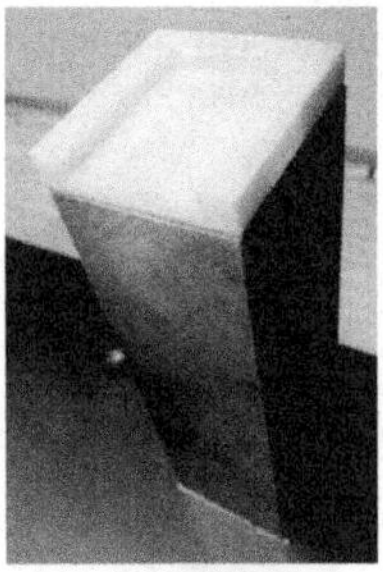

Figura 40. Primera estación de ensamblaje impresa.

Figura 41. Segunda estación de ensamblaje impresa.

5. Diseño y manufactura de elementos para los brazos robóticos

5.1. Pinzas para ensamblaje

Finalmente se procede a la manufactura en aluminio de estas pinzas (ver Figura 42), puesto que se busca una mayor robustez debido a que es necesario ejercer presión por medio de estas.

Figura 42. Pinzas mecanizadas y ensambladas.

5.2. Adaptador de pinzas para ensamblaje

En la Figura 43 se muestra este adaptador mecanizado en aluminio.

Figura 43. Adaptador manufacturado y ensamblado (ver también Figura 42).

5.3. Adaptador de pinzas para pre-ensamblaje

En la Figura 44 se muestra este adaptador mecanizado en aluminio.

Figura 44. Adaptador manufacturado y ensamblado (ver también Figura 29).

5.4. Placa de montaje

Se realiza el mecanizado en aluminio de las placas de montaje (una para cada brazo robótico), pues se requiere de un material que resista el peso y fuerza que ejerzan los robots. Ver Figura 45.

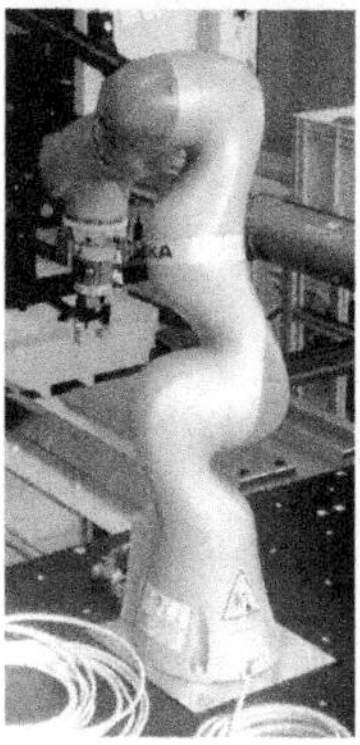

Figura 45. Placa de montaje manufacturada y ensamblada.

Plan de validación

A continuación se hará una aclaración importante. Debido a que el tiempo de uso de la CNC Hermle (con la cual se realizó el proceso de fresado del contorno exterior) era limitado, se optó por realizar todo el desbaste requerido en una única vez, y dado que la dimensión de la altura de la materia prima era considerablemente mayor que la requerida, en comparación con las dimensiones de largo y ancho, se produjo una pequeña curvatura a lo largo del *spinner*, aumentando la dificultad a la hora de realizar el ensamblaje. Es por esta razón que se analizarán 2 alturas distintas.

Instrumento de medición

El único instrumento de medición utilizado fue un calibrador digital Mitutoyo CD-20APX con una resolución de 0,01 mm. Como el que se muestra en la Figura 46.

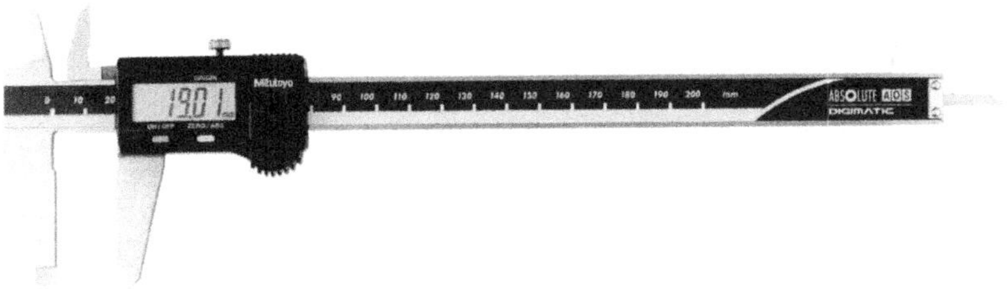

Figura 46. Calibrador digital utilizado.

Incertidumbres

Las mediciones de Largo (L), Ancho (A), Altura central (Ac), Altura lateral (Al) y Curva (C) de los *spinners*, además de las mediciones de Diámetro mayor (DM), Diámetro menor (Dm), Altura total (At) y Altura del diámetro mayor (ADM) de los *finger caps*, son medidas directas, por lo tanto la incertidumbre corresponde a la del instrumento de medición, es decir, ± 0,01 mm para este caso.

Por otro lado, las mediciones de Diferencia de Altura (Δh) de los *spinners*, y la Altura del diámetro menor (ADm) de los finger caps, ambas, corresponden a la diferencia de 2 medidas directas, lo que resulta en medidas indirectas, por lo tanto se utiliza la incertidumbre estadística para ellas, y al haberse realizado más de 5 mediciones para cada una de dichas variables, la incertidumbre de estas compete al cálculo de la desviación estándar.

Tolerancia

En la fabricación de piezas, la tolerancia corresponde a "la diferencia existente entre la medida máxima y la mínima admisible para la fabricación de la pieza real" lo cual determina la aceptación o el rechazo de los componentes fabricados. (Rodríguez, 2018, párr. 9)

Bajo criterio técnico del personal de la universidad, una tolerancia de ¼ de milímetro ($\pm$ 0,25 mm) es aceptable. Además, es importante resaltar que la tolerancia de la CNC Hermle es ≤ 8 μ.

En las Tablas 1, 2 y 3 se muestran los promedios de las 3 mediciones para cada una de las variables del cuerpo del *spinner*, utilizando 15 muestras de *spinners* de cada versión; además del promedio general, la desviación estándar y el valor teórico.

En los Gráficos 1, 4 y 7 se observa que las dimensiones del largo de los *spinners* se encuentran sobre el valor teórico pero dentro del rango de tolerancia.

En los Gráficos 2 y 5, al igual que los gráficos anteriores, se puede observar que el ancho de los *spinners* se localiza sobre el valor teórico pero dentro del rango de tolerancia.

Debido a la curvatura mencionada anteriormente, la altura central de los *spinners* es mayor que la altura lateral, como se observa en los Gráficos 3, 6 y 9. La altura central está por encima del valor teórico y la lateral muy cercana a este, pero ambas dentro del rango de tolerancia, al igual que la diferencia de altura (Δh), ver Tablas 1, 2 y 3.

Se observa que las desviaciones estándar de la mayoría de las variables de las mediciones directas en las 3 versiones de cuerpos del *spinner* coinciden con la incertidumbre del instrumento de medición, lo cual indica que la variabilidad de los datos es considerablemente baja. Pudo haber ayudado en gran medida que la tolerancia de la máquina CNC con la que se manufacturaron estos elementos sea muy pequeña (menor a 8 μ).

Las desviaciones estándar de mediciones directas que fueron mayores a la resolución del instrumento corresponden a la Alturas lateral (Al) de las versiones 1 y 2 del cuerpo del *spinner*, y a la Curva (C) de la versión 3. Este incremento en la variabilidad de los datos pudo haber sido a causa del error humano a la hora de tomar las mediciones, debido a que, por ejemplo, en el caso de la versión 3 al ser este curvo a ambos lados (ver Figura 41) se complica tomar siempre la medida más angosta, pues al colocar el instrumento de medición, incluso menos de un milímetro, más a la izquierda o la derecha, hacía que la dimensión fluctuara. Algo similar pudo haber ocurrido con la altura lateral de las otras versiones.

El caso de los finger caps es distinto, pues las deviaciones estándar de todas sus variables de mediaciones directas fueron mayores a la incertidumbre. Esto se puede justificar debido a que dichos elementos fueron hechos en la impresora 3D de baja resolución con la que contaba la fábrica, por este mismo motivo los datos obtenidos de las variables de los *finger caps* están más dispersos que los datos de las variables del cuerpo del *spinner*, el cual fue manufacturado en CNC.

La variable que corresponde al ancho (A) del cuerpo del *spinner* versión 3, presenta una desviación estándar de 0,00 mm, esto quiere decir que la variabilidad de sus datos es mínima, por lo que presenta los mejores valores de precisión. Por otra parte, la variable de la altura total (At) de los *finger caps* presenta un valor promedio de 7,00 mm igual al valor teórico, por lo que presenta los mejores valores de exactitud.

***Spinners* versión 1**

Tabla 1. Valores de largo, ancho y alturas del cuerpo del *spinner* versión 1.

# med	L (± 0,01 mm)	A (± 0,01 mm)	Ac (± 0,01 mm)	Al (± 0,01 mm)	Δh (± 0,02 mm)
1	70,17	35,11	7,16	7,09	0,07
2	70,14	35,10	7,15	7,05	0,10
3	70,14	35,09	7,16	7,05	0,11
4	70,14	35,10	7,16	7,05	0,11
5	70,15	35,10	7,17	7,06	0,11
6	70,15	35,10	7,16	7,04	0,12
7	70,15	35,10	7,15	7,05	0,10
8	70,15	35,10	7,15	7,06	0,09
9	70,17	35,10	7,16	7,09	0,07
10	70,13	35,09	7,15	7,06	0,09
11	70,14	35,09	7,13	7,07	0,06
12	70,16	35,10	7,16	7,06	0,10
13	70,16	35,10	7,16	7,09	0,07
14	70,15	35,10	7,16	7,09	0,07
15	70,14	35,08	7,12	7,04	0,08
Promedio	**70,15**	**35,10**	**7,15**	**7,06**	**0,09**
Desv. Est.	**0,01**	**0,01**	**0,01**	**0,02**	**0,02**
Spec	**70,00**	**35,00**	**7,00**	**7,00**	**0,00**

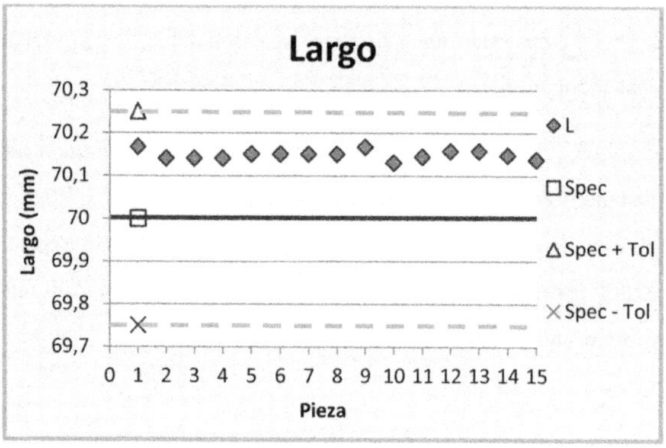

Gráfico 1. Largo de *spinners* versión 1.

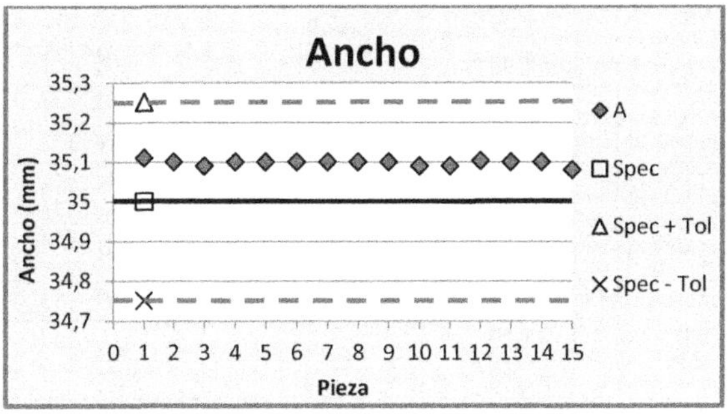

Gráfico 2. Ancho de *spinners* versión 1.

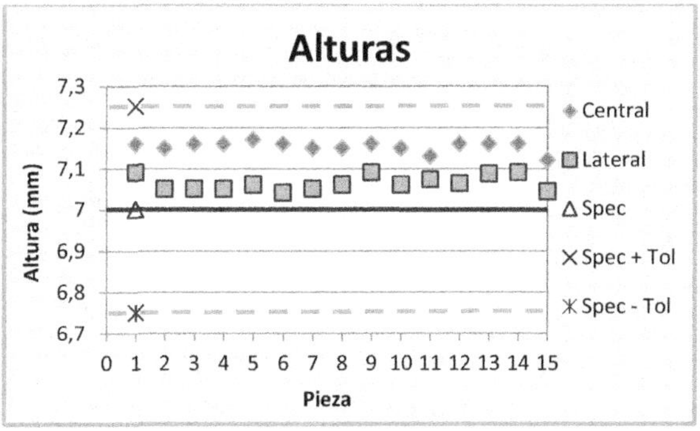

Gráfico 3. Altura de *spinners* versión 1.

***Spinners* versión 2**

Tabla 2. Valores de largo, ancho y alturas del cuerpo del *spinner* versión 2.

# med	L (± 0,01 mm)	A (± 0,01 mm)	Ac (± 0,01 mm)	Al (± 0,01 mm)	Δh (± 0,02 mm)
1	70,15	35,10	7,13	6,95	0,18
2	70,14	35,11	7,11	6,92	0,19
3	70,13	35,10	7,12	6,93	0,19
4	70,12	35,10	7,10	6,96	0,14
5	70,12	35,10	7,12	6,99	0,13

6	70,12	35,09	7,12	6,97	0,15
7	70,11	35,09	7,12	6,95	0,17
8	70,11	35,10	7,11	6,92	0,19
9	70,11	35,09	7,11	6,96	0,15
10	70,11	35,10	7,13	6,97	0,16
11	70,13	35,10	7,13	6,95	0,18
12	70,12	35,10	7,13	6,98	0,15
13	70,12	35,09	7,12	6,94	0,18
14	70,12	35,10	7,13	7,00	0,13
15	70,12	35,10	7,10	6,96	0,14
Promedio	**70,12**	**35,10**	**7,12**	**6,96**	**0,16**
Desv. Est.	**0,01**	**0,01**	**0,01**	**0,02**	**0,02**
Spec	**70,00**	**35,00**	**7,00**	**7,00**	**0,00**

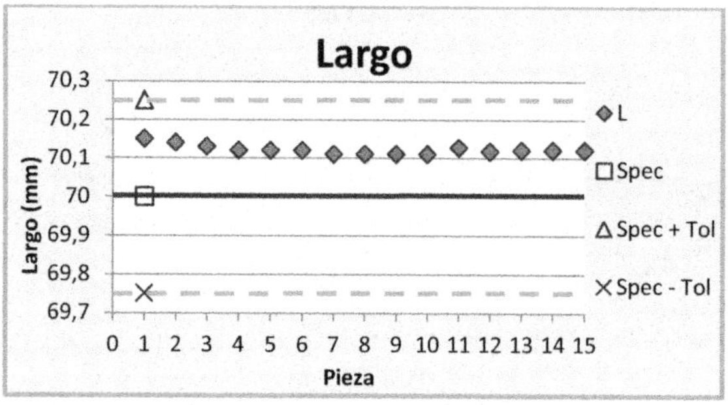

Gráfico 4. Largo de *spinners* versión 2.

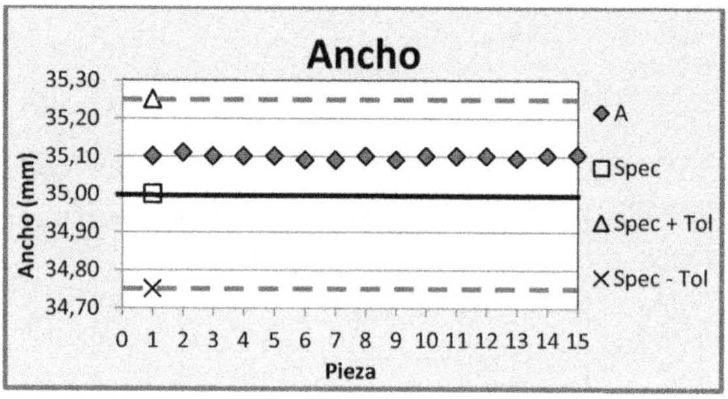

Gráfico 5. Ancho de *spinners* versión 2.

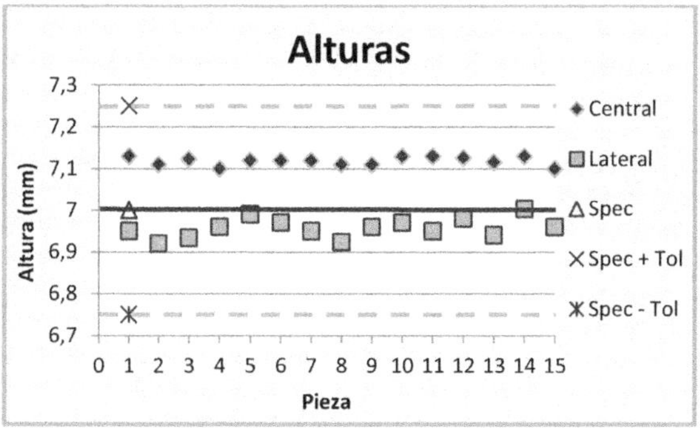

Gráfico 6. Altura de *spinners* versión 2.

Spinners versión 3

Tabla 3. Valores de largo, ancho, alturas y curva del cuerpo del *spinner* versión 3.

# med	L (± 0,01 mm)	A (± 0,01 mm)	Ac (± 0,01 mm)	Al (± 0,01 mm)	Δh (± 0,01 mm)	C (± 0,01 mm)
1	70,16	34,84	7,18	7,03	0,15	29,30
2	70,16	34,83	7,17	7,00	0,17	29,31
3	70,15	34,84	7,17	7,04	0,13	29,24
4	70,16	34,84	7,19	7,02	0,16	29,24
5	70,17	34,84	7,18	7,01	0,17	29,25
6	70,15	34,84	7,17	7,04	0,13	29,22
7	70,15	34,84	7,18	7,02	0,16	29,22
8	70,15	34,85	7,18	7,03	0,15	29,22
9	70,16	34,84	7,18	7,01	0,17	29,25
10	70,15	34,84	7,17	7,03	0,14	29,20
11	70,17	34,85	7,17	7,02	0,15	29,25
12	70,15	34,85	7,17	7,03	0,14	29,21
13	70,15	34,84	7,17	7,04	0,13	29,23
14	70,14	34,84	7,17	7,02	0,15	29,23
15	70,16	34,84	7,18	7,03	0,15	29,22
Promedio	**70,16**	**34,84**	**7,18**	**7,02**	**0,15**	**29,24**
Desv. Est.	**0,01**	**0,00**	**0,01**	**0,01**	**0,01**	**0,03**
Spec	**70,00**	**35,00**	**7,00**	**7,00**	**0,00**	**29,00**

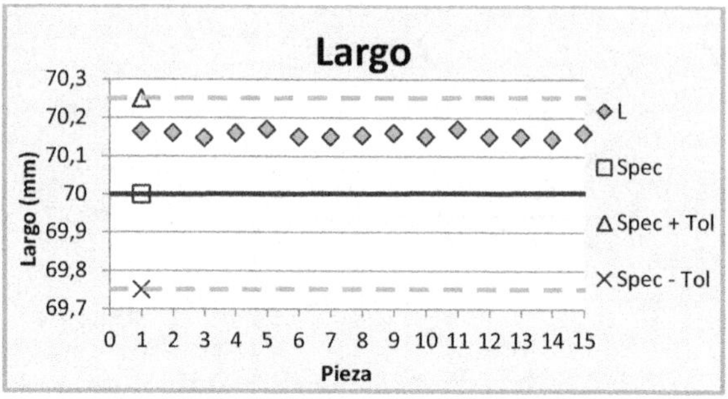

Gráfico 7. Largo de *spinners* versión 3.

A diferencia de los gráficos vistos hasta ahora, en el Gráfico 8 se observa que las dimensiones del ancho de los *spinners* se localizan por debajo del valor teórico pero siempre dentro del rango de tolerancia. Esto pudo haber sido a causa de la programación, herramienta utilizada en la CNC o configuración de esta para la manufactura del contorno exterior de esta versión, pues las 3 versiones fueron manufacturadas en días distintos. La diferencia entre los valores obtenidos de las dimensiones del ancho de las otras 2 versiones comparada con esta versión, es de aproximadamente 0,25 mm, este valor al estar dentro del margen de tolerancia establecido, no se considera una diferencia significativa.

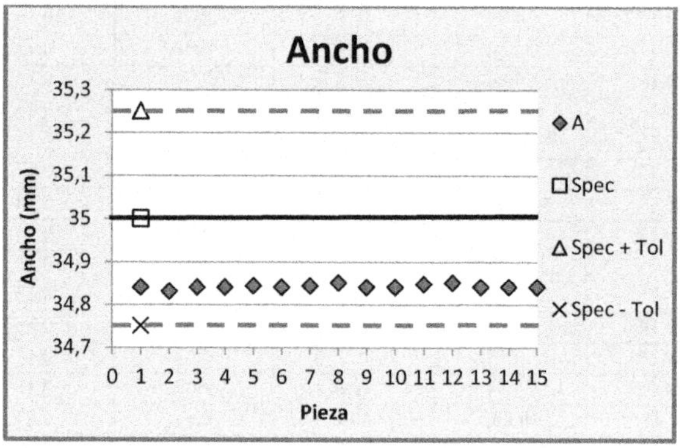

Gráfico 8. Ancho de *spinners* versión 3.

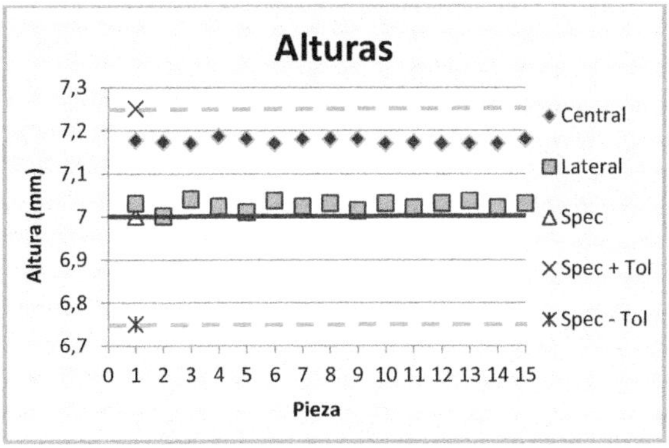

Gráfico 9. Altura de *spinners* versión 3.

Esta es la única versión que presenta una curva simétrica en la parte central a lo largo del *spinner* (ver Figura A.1), pero, al igual que todos los gráficos anteriores, dicha dimensión permanece dentro del rango de tolerancia como se observa en el Gráfico 10.

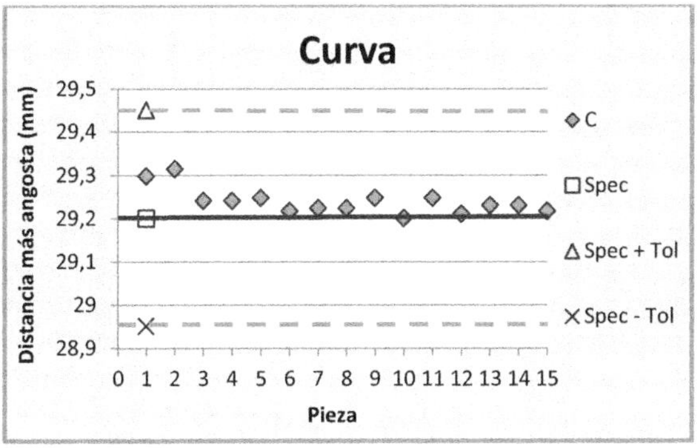

Gráfico 10. Curva de *spinners* versión 3.

Finger Caps

En la Tabla 4 se muestran los promedios de las 3 mediciones para cada una de las variables de 15 *finger caps* tomados como muestra; además del promedio general, la desviación estándar y el valor teórico de dichas variables.

Tabla 4. Valores de diámetros y alturas de los *finger caps*.

# med	DM (± 0,01 mm)	Dm (± 0,01 mm)	At (± 0,01 mm)	ADM (± 0,01 mm)	ADm (± 0,09 mm)
1	22,03	8,00	6,98	2,78	4,20
2	22,12	8,07	6,95	2,88	4,07
3	22,04	8,05	7,06	2,98	4,08
4	22,04	7,94	7,11	2,76	4,34
5	22,03	8,01	6,96	2,94	4,02
6	22,15	8,02	6,99	2,94	4,06
7	21,97	7,96	7,04	2,90	4,15
8	22,09	8,03	6,97	2,87	4,10
9	22,05	8,03	6,98	2,87	4,11
10	22,12	8,05	6,93	2,83	4,11
11	22,14	8,03	7,00	2,77	4,23
12	22,21	8,03	6,97	2,77	4,20
13	22,01	8,00	7,13	2,82	4,31
14	22,02	8,03	6,99	2,76	4,23
15	22,05	8,03	6,99	2,82	4,17
Promedio	**22,07**	**8,02**	**7,00**	**2,85**	**4,16**
Desv. Est.	**0,06**	**0,03**	**0,06**	**0,07**	**0,09**
Spec	**22,00**	**8,00**	**7,00**	**2,80**	**4,20**

De los Gráficos 11, 12, 13 y 14 también se concluye que las mediciones correspondientes a cada una de las variables de los *finger caps* se localizan dentro del rango de tolerancia.

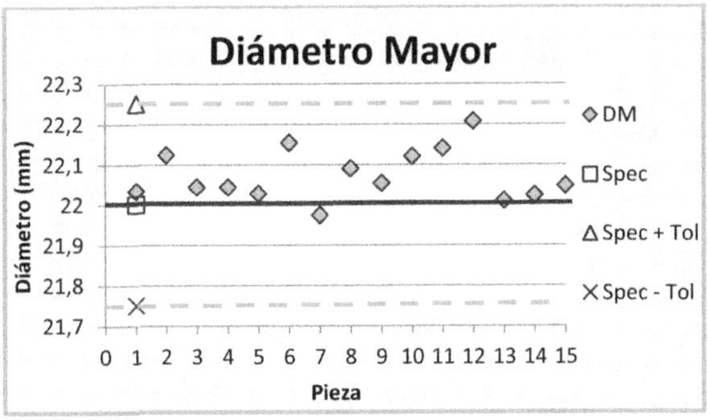

Gráfico 11. Diámetro mayor de los *finger caps*.

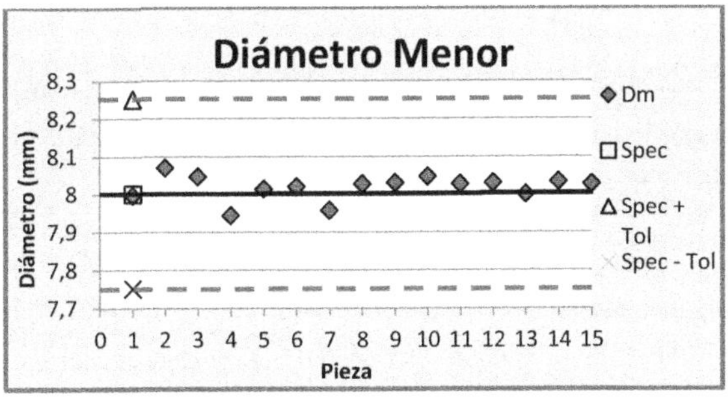

Gráfico 12. Diámetro menor de los *finger caps*.

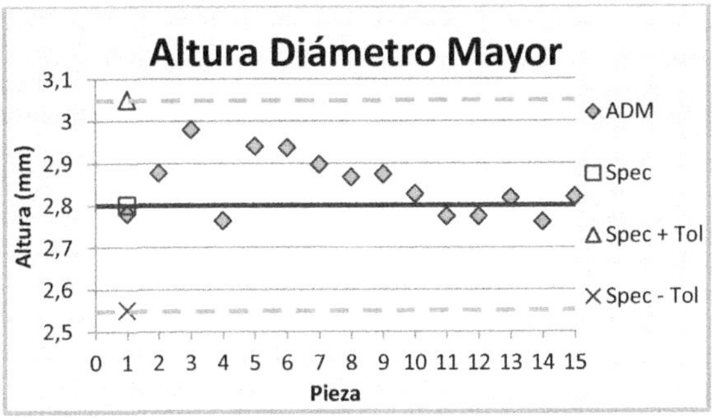

Gráfico 13. Altura de diámetro mayor de los *finger caps*.

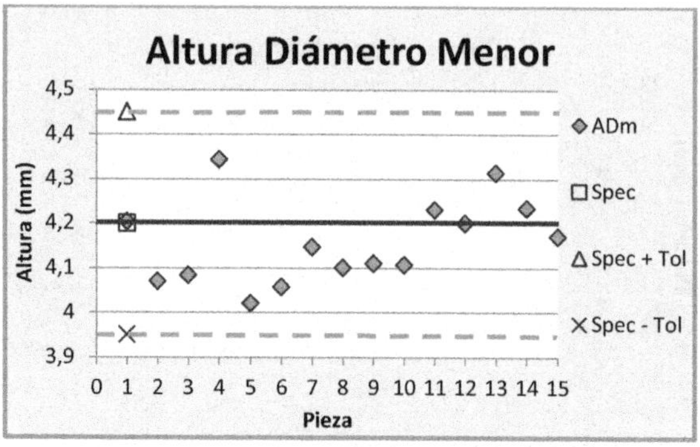

Gráfico 14. Altura de diámetro menor de los *finger caps*.

Esta dimensión se calculó al sustraer la altura de diámetro mayor (ADM) de la altura total (At), por lo que dichas dimensiones se presentan en el Gráfico 14 de una forma más dispersa que las anteriores.

Además, se debe recordar que los *finger caps* fueron hechos en la impresora 3D (baja resolución), por ese motivo los datos tomados de las variables de estos están más dispersos que los datos de las variables del cuerpo del *spinner*, el cual fue manufacturado en CNC.

Finalmente, se realizaron varias pruebas, las cuales consistían en poner en marcha todo el proceso de producción automatizado (prototipo funcional) de principio a fin sin interrupciones, es decir, desde que el usuario elige la versión de *spinner* que desea hasta que lo recibe. Esto para comprobar que los procesos de manufactura, transporte y ensamblaje (la secuencia de los 6 programas) fueran exitosos y se obtuviera un *Fidget Spinner* funcional y con dimensiones dentro del margen de tolerancia.

Tabla 5. Resultado de pruebas finales.

	Pruebas realizadas	Pruebas exitosas	Pruebas fallidas
Cantidad	20	20	0

De la Tabla 5 se concluye que el proyecto realizado tuvo una efectividad del 100% debido a que la fabricación de los productos se ejecutó de acuerdo a los estándares de calidad requeridos, y ninguna de las piezas tuvo que ser desechada pues estas quedaron ensambladas correctamente.

Conclusiones

- Utilizando CAD fue posible realizar el diseño mecánico de las piezas; gracias a este y por medio del CAM se generó el código para la simulación y programación de la CNC, y el posterior mecanizado de dichas piezas.
- Fue posible manufacturar y ensamblar las piezas con el equipo disponible en la Fábrica Digital.
- Se comprobó, por medio del plan de validación, que las piezas fabricadas cumplen con los estándares de calidad establecidos por el cliente (personal de la universidad).
- Se logró desarrollar una demostración personalizable y un plan de fabricación adaptable para *Digital Factory* Vorarlberg.

Referencias

Carrasco, J. C. (2006). *Tecnología avanzada del diseño y manufactura asistidos por computador - CAD/CAM.* PROSPECTIVA, 4(1), 75–81. Recuperado de https://www.redalyc.org/pdf/4962/496251107012.pdf

COSMOCAX. (2007). *¿Qué es el CNC? O control numérico por computadora.* Recuperado de https://cadcamcae.wordpress.com/2007/06/14/el-control-numerico-por-computadora-el-cnc/

González, M. (2017, 17 junio). *Fidget Spinner, el sencillo "gadget" de moda entre niños (y entre no tan niños).* Xataka. Recuperado de https://www.xataka.com/otros/fidget-spinner-el-sencillo-gadget-de-moda-entre-ninos-y-entre-no-tan-ninos

Mellado, M. (2009). *Robótica.* Valencia, España: Universidad Politécnica de Valencia.

Peters, J. J. (2018, 9 junio). *Introducción al control numérico computarizado (CNC) – Sistemas CAD, CAM y código G.* CASIOPEA. Recuperado de https://wiki.ead.pucv.cl/Introducci%C3%B3n_al_control_num%C3%A9rico_computarizado_(CNC)

Rodríguez, H. (2018). *Ajustes y Tolerancias en los Procesos de Mecanizado.* Ingemecánica. Recuperado de https://ingemecanica.com/tutorialsemanal/tutorialn19.html

Vílchez, M. E. (2008). *Teoría de Mediciones y otros conceptos básicos.* Instituto Tecnológico de Costa Rica.

Apéndice

A.1 Resultado final

En la Figura A.1 se muestran los *Fidget Spinners* en sus 3 versiones.

Figura A.1. Versión 1 vs. Versión 2 vs. Versión 3.

A.2 Distribución de planta

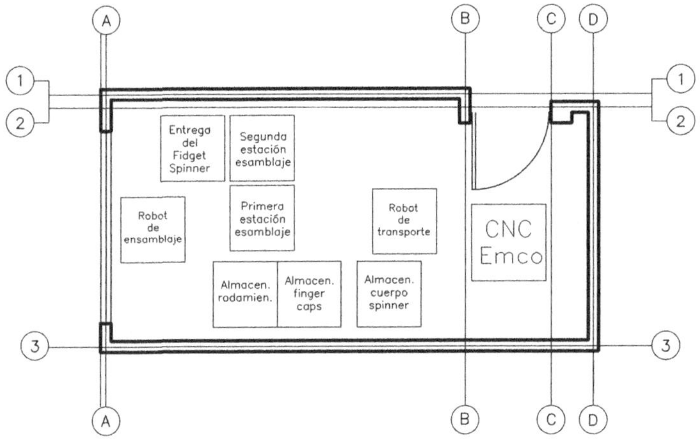

DISTRIBUCIÓN DE PLANTA

INSTITUTO TECNOLÓGICO DE COSTA RICA	ESCALA:	*ACOTACIÓN:*	
	DISEÑO: M. AGUILAR		*FECHA:*
ESCUELA DE INGENIERÍA MECATRÓNICA	DIBUJO: M.AGUILAR		13/03/19
	SUPERVISÓ: R. MERZ		
PARTE: DISTRIBUCIÓN DE PLANTA	*SISTEMA*		*LÁMINA*
PROYECTO: PROYECTO DE GRADUACIÓN			1 / 1

A.3 Planos de las piezas

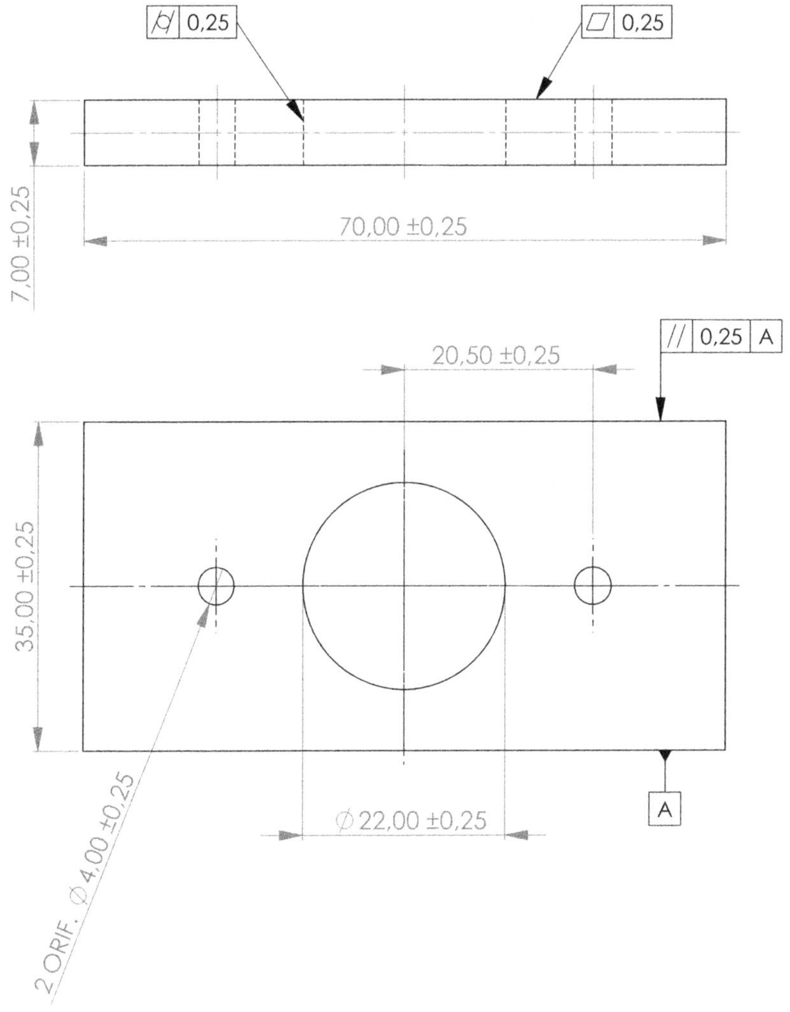

Departamento responsable **Digital Factory**	Referencia técnica **Robert Merz**	Tipo de documento **Cuerpo del *spinner* versión 1**			Estado del documento **Entregado**	
Propietario legal	Autor **Mary Laura Aguilar**	Título suplementario **Prototipo**	FS 123 100-1			
	Aprobado por **Robert Merz**		Rev. **A**	Fecha **2018-10-17**	Idioma **en**	Lámina **1/12**

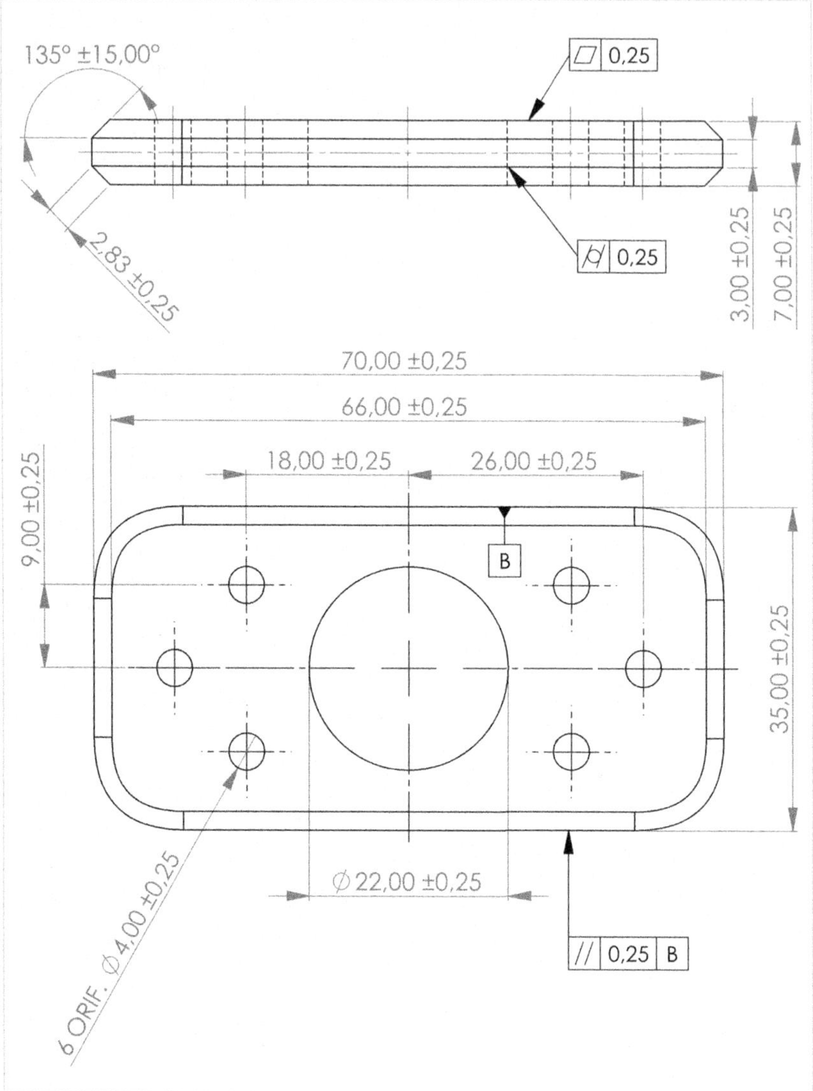

Departamento responsable **Digital Factory**	Referencia técnica **Robert Merz**	Tipo de documento **Cuerpo del *spinner* versión 2**				Estado del documento **Entregado**
Propietario legal	Autor **Mary Laura Aguilar**	Título suplementario **Prototipo**	FS 123 100-2			
	Aprobado por **Robert Merz**		Rev. **A**	Fecha **2018-10-17**	Idioma **en**	Lámina **2/12**

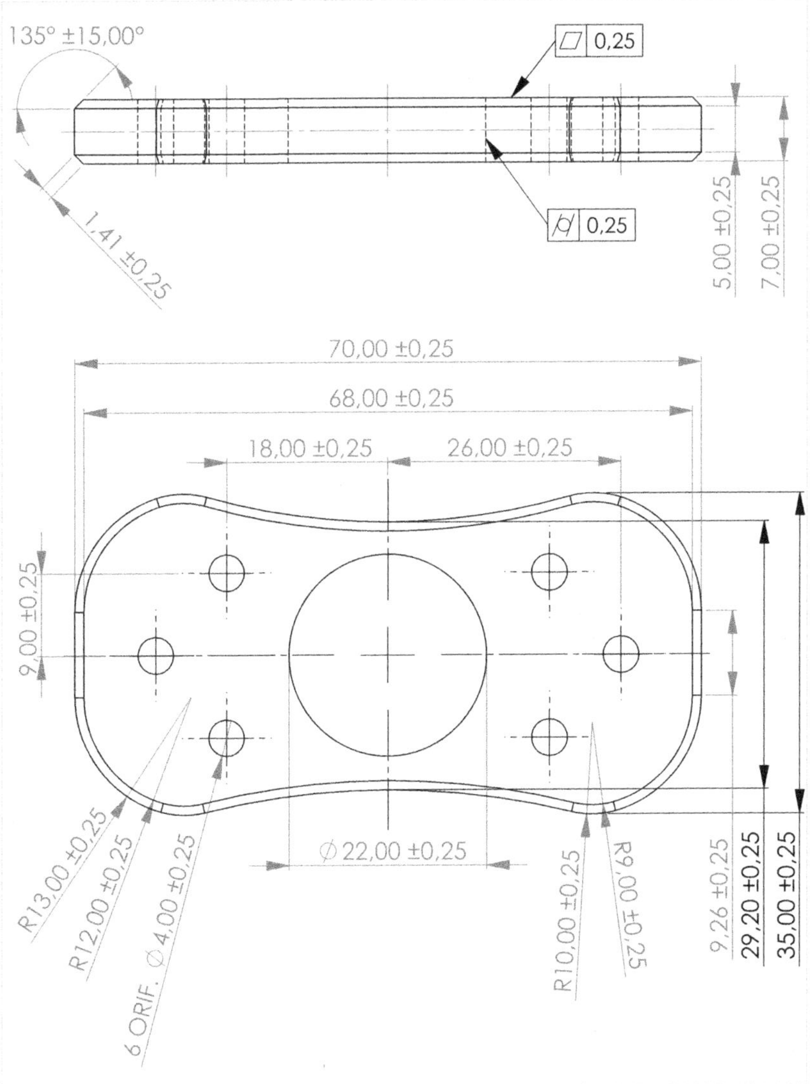

Departamento responsable **Digital Factory**	Referencia técnica **Robert Merz**	Tipo de documento **Cuerpo del *spinner* versión 3**			Estado del documento **Entregado**	
Propietario legal	Autor **Mary Laura Aguilar**	Título suplementario **Prototipo**	FS 123 100-3			
	Aprobado por **Robert Merz**		Rev. **A**	Fecha **2018-10-17**	Idioma **en**	Lámina **3/12**

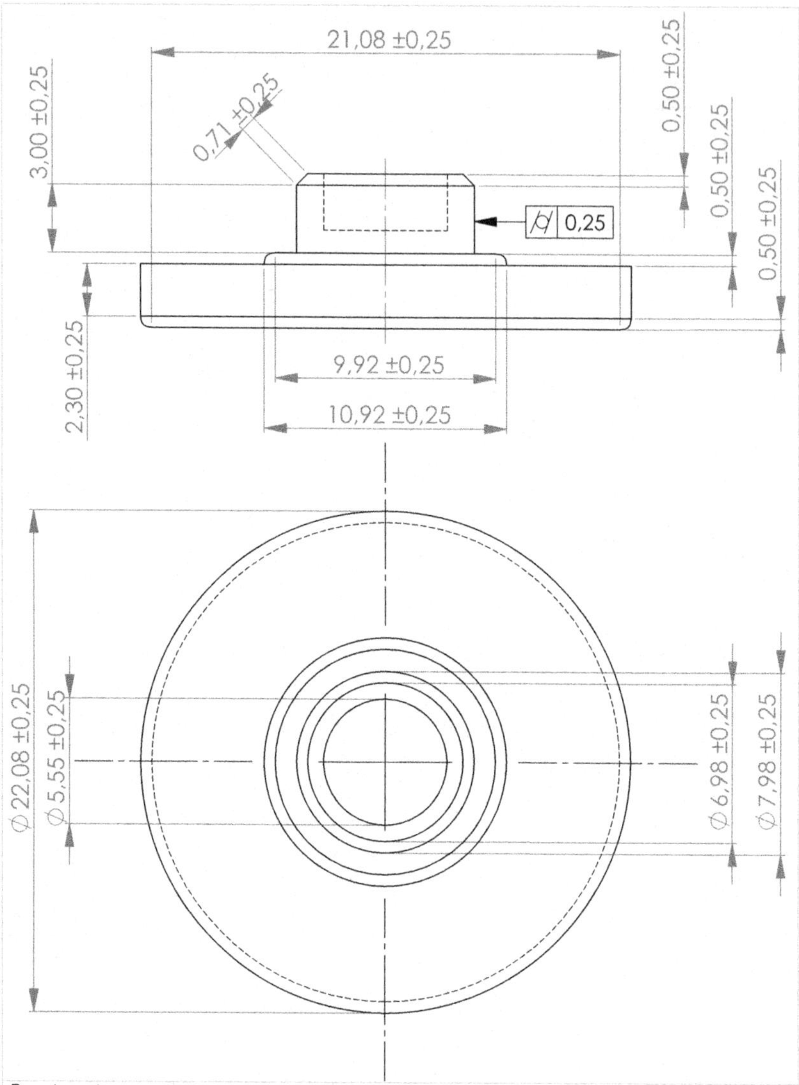

Departamento responsable **Digital Factory**	Referencia técnica **Robert Merz**	Tipo de documento ***Finger Cap***		Estado del documento **Entregado**		
Propietario legal	Autor **Mary Laura Aguilar**	Título suplementario **Prototipo**	FS 123 200-1			
	Aprobado por **Robert Merz**		Rev. **A**	Fecha **2018-10-22**	Idioma **en**	Lámina **4/12**

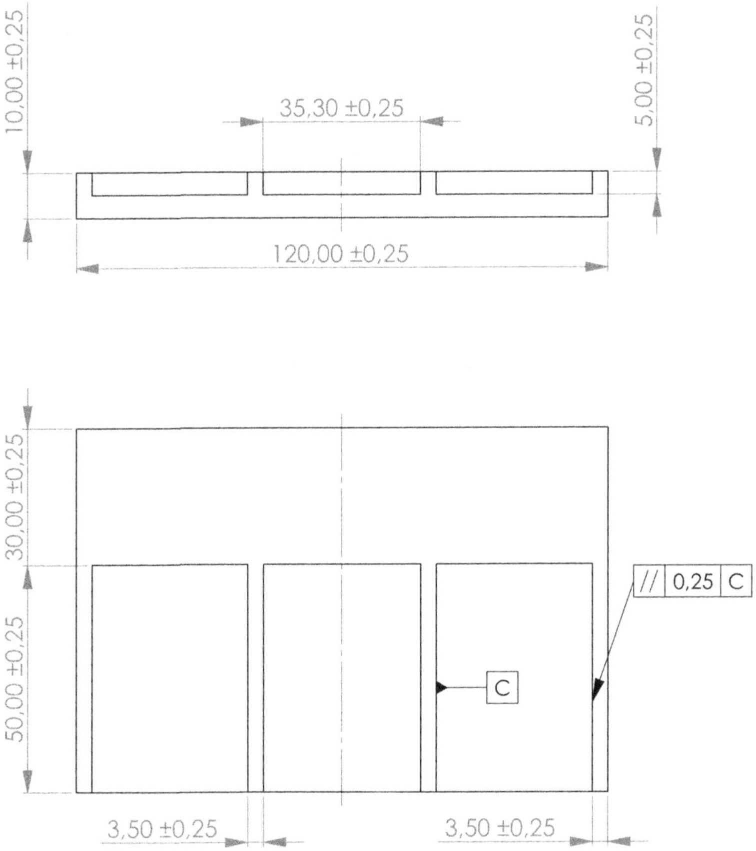

Departamento responsable **Digital Factory**	Referencia técnica **Robert Merz**	Tipo de documento **Almacenamiento del cuerpo del *spinner***				Estado del documento **Entregado**
Propietario legal	Autor **Mary Laura Aguilar**	Título suplementario **Tooling**	FS 123 300-1			
	Aprobado por **Robert Merz**		Rev. **A**	Fecha **2018-10-26**	Idioma **en**	Lámina **5/12**

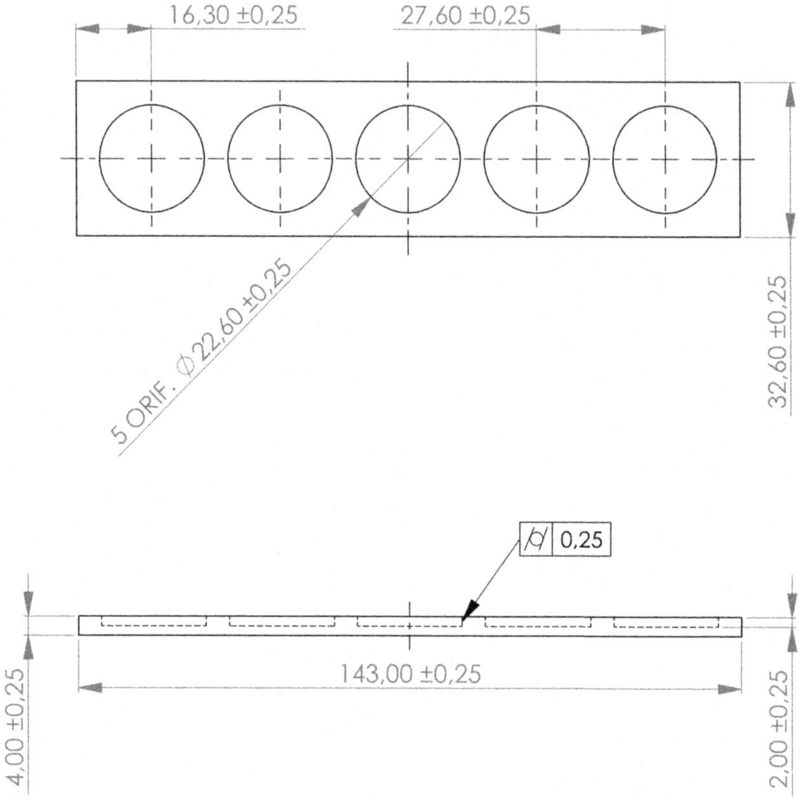

Departamento responsable **Digital Factory**	Referencia técnica **Robert Merz**	Tipo de documento **Almacenamiento de rodamientos**		Estado del documento **Entregado**		
Propietario legal	Autor **Mary Laura Aguilar**	Título suplementario **Tooling**	FS 123 300-2			
	Aprobado por **Robert Merz**		Rev. **A**	Fecha **2018-10-26**	Idioma **en**	Lámina **6/12**

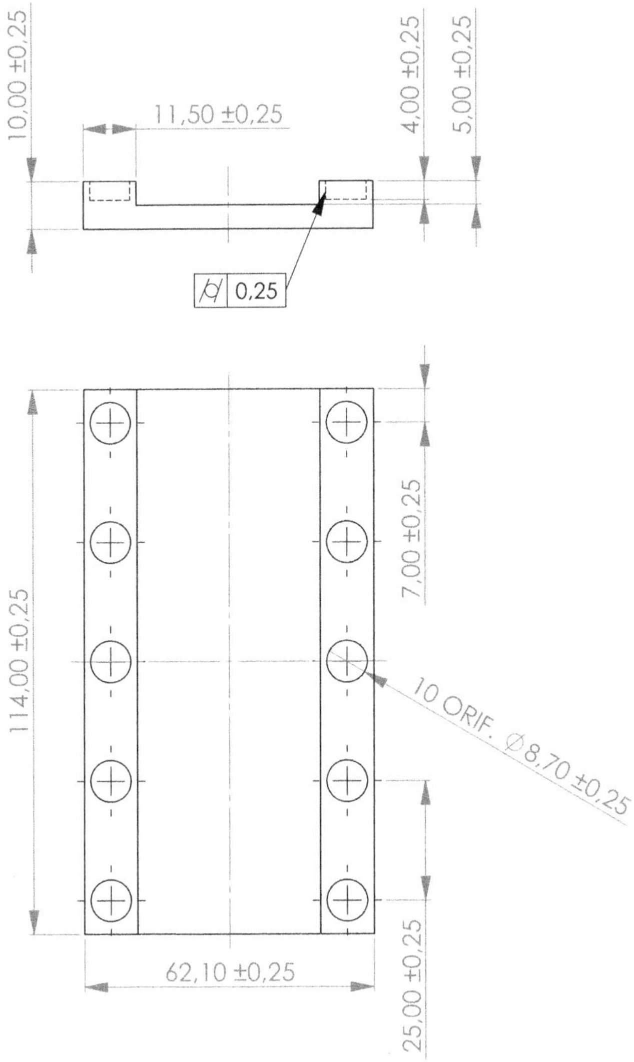

Departamento responsable **Digital Factory**	Referencia técnica **Robert Merz**	Tipo de documento **Almacnamiento de *finger caps***				Estado del documento **Entregado**
Propietario legal	Autor **Mary Laura Aguilar**	Título suplementario **Tooling**	FS 123 300-3			
	Aprobado por **Robert Merz**		Rev. **A**	Fecha **2018-10-26**	Idioma **en**	Lámina **7/12**

Producto SOLIDWORKS Educational. Solo para uso en la enseñanza.

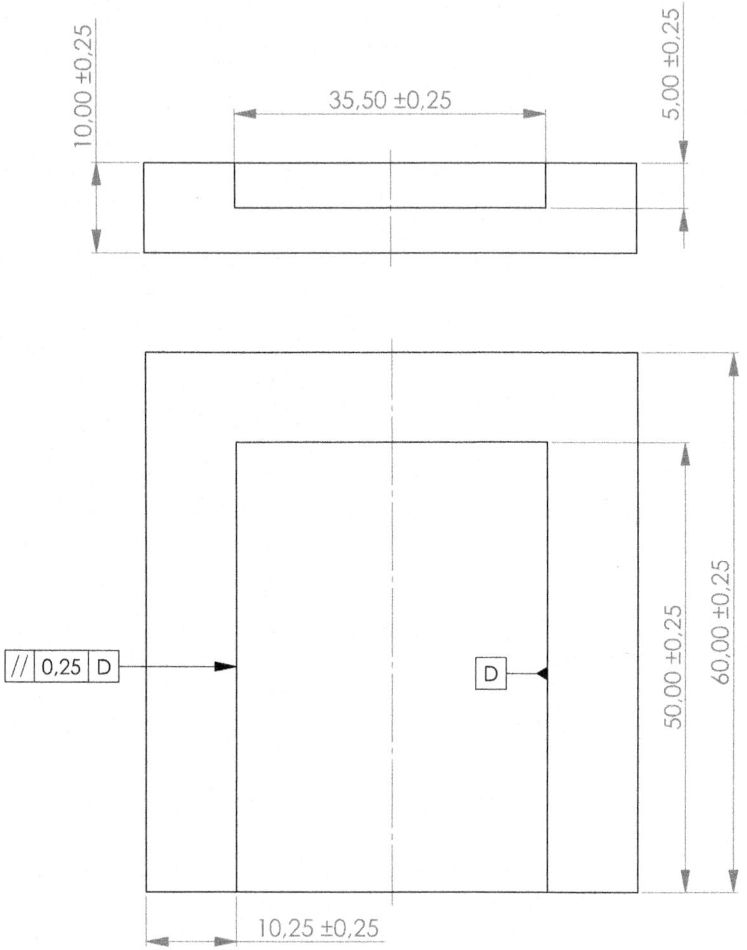

Departamento responsable **Digital Factory**	Referencia técnica **Robert Merz**	Tipo de documento **Primera estación de ensamblaje**				Estado del documento **Entregado**
Propietario legal	Autor **Mary Laura Aguilar**	Título suplementario **Tooling**	FS 123 400-1			
	Aprobado por **Robert Merz**		Rev. **A**	Fecha **2018-11-11**	Idioma **en**	Lámina **8/12**

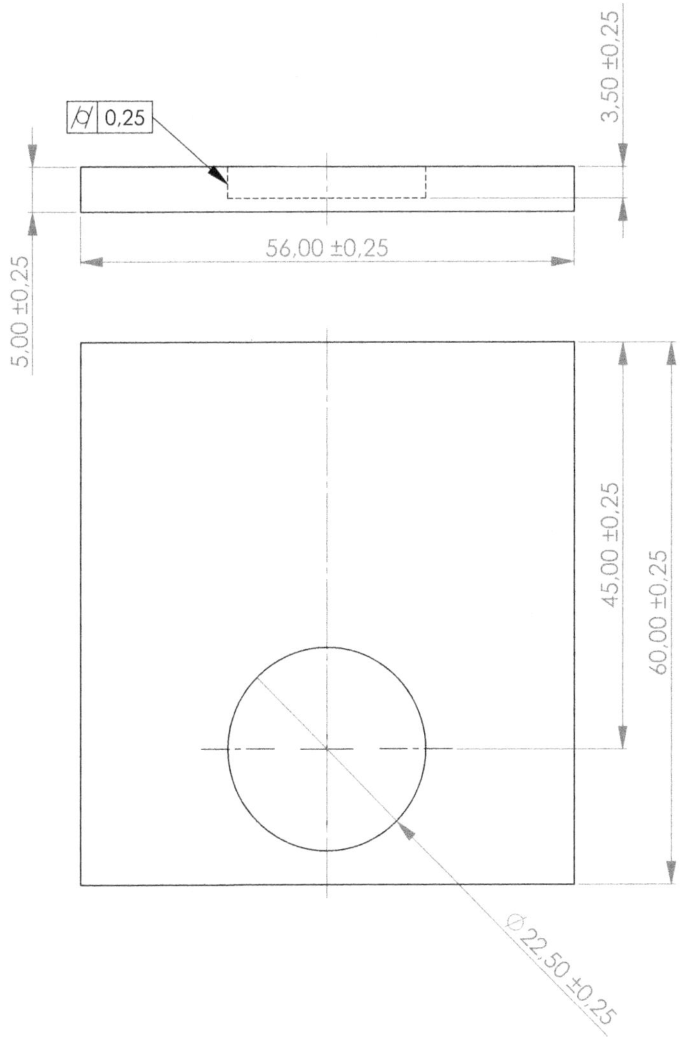

Departamento responsable **Digital Factory**	Referencia técnica **Robert Merz**	Tipo de documento **Segunda estación de ensamblaje**		Estado del documento **Entregado**		
Propietario legal	Autor **Mary Laura Aguilar**	Título suplementario **Tooling**	FS 123 400-2			
	Aprobado por **Robert Merz**		Rev. **A**	Fecha **2018-11-11**	Idioma **en**	Lámina **9/12**

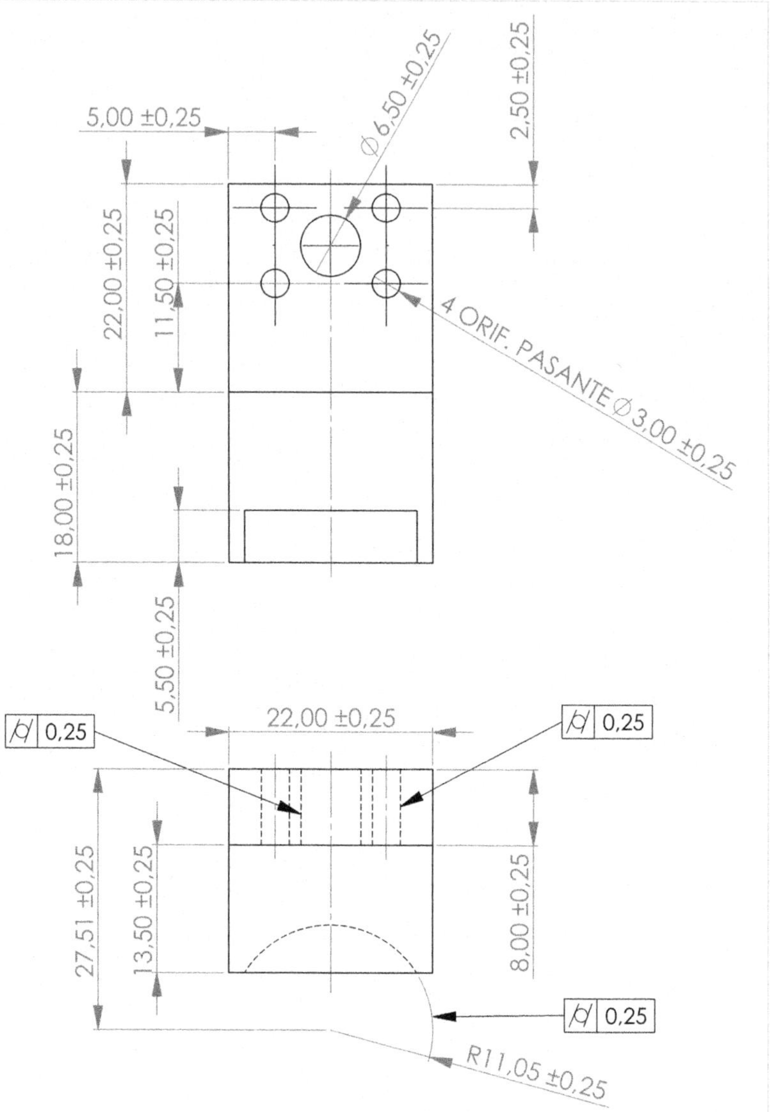

Departamento responsable **Digital Factory**	Referencia técnica **Robert Merz**	Tipo de documento **Pinzas para ensamblaje**				Estado del documento **Entregado**
Propietario legal	Autor **Mary Laura Aguilar**	Título suplementario **Tooling**	FS 123 500-1			
	Aprobado por **Robert Merz**		Rev. **A**	Fecha **2018-11-23**	Idioma **en**	Lámina **10/12**

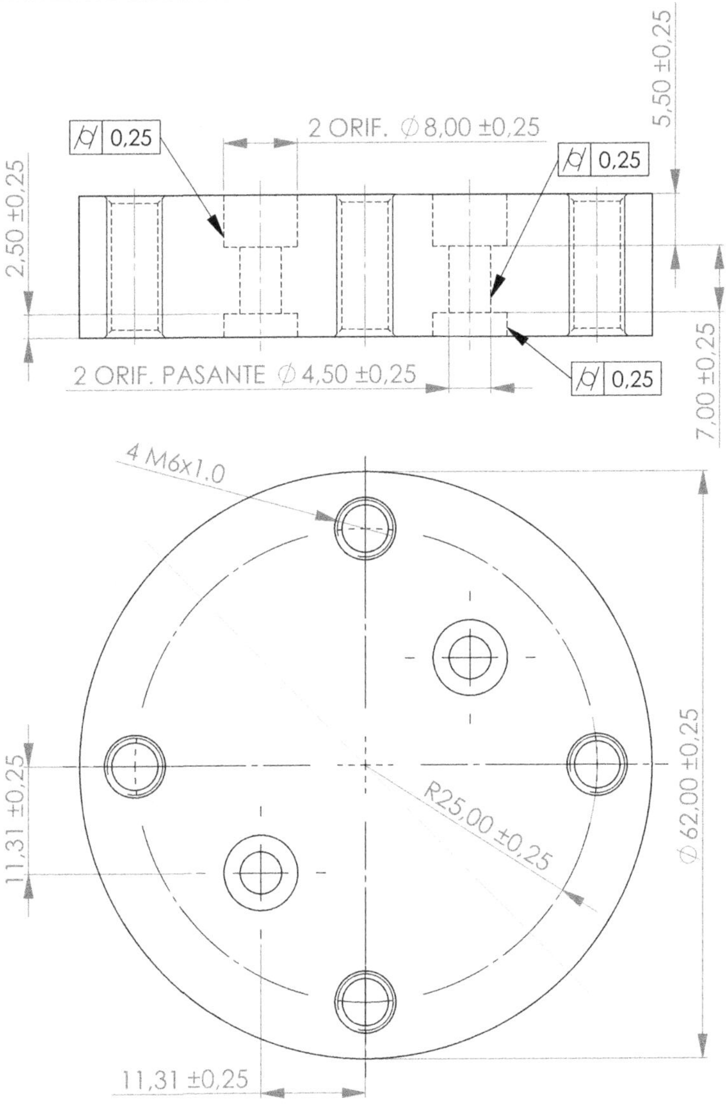

Departamento responsable **Digital Factory**	Referencia técnica **Robert Merz**	Tipo de documento **Adaptador de pinzas**		Estado del documento **Entregado**		
Propietario legal	Autor **Mary Laura Aguilar**	Título suplementario **Tooling**	FS 123 500-2			
	Aprobado por **Robert Merz**		Rev. **A**	Fecha **2018-11-23**	Idioma **en**	Lámina **11/12**

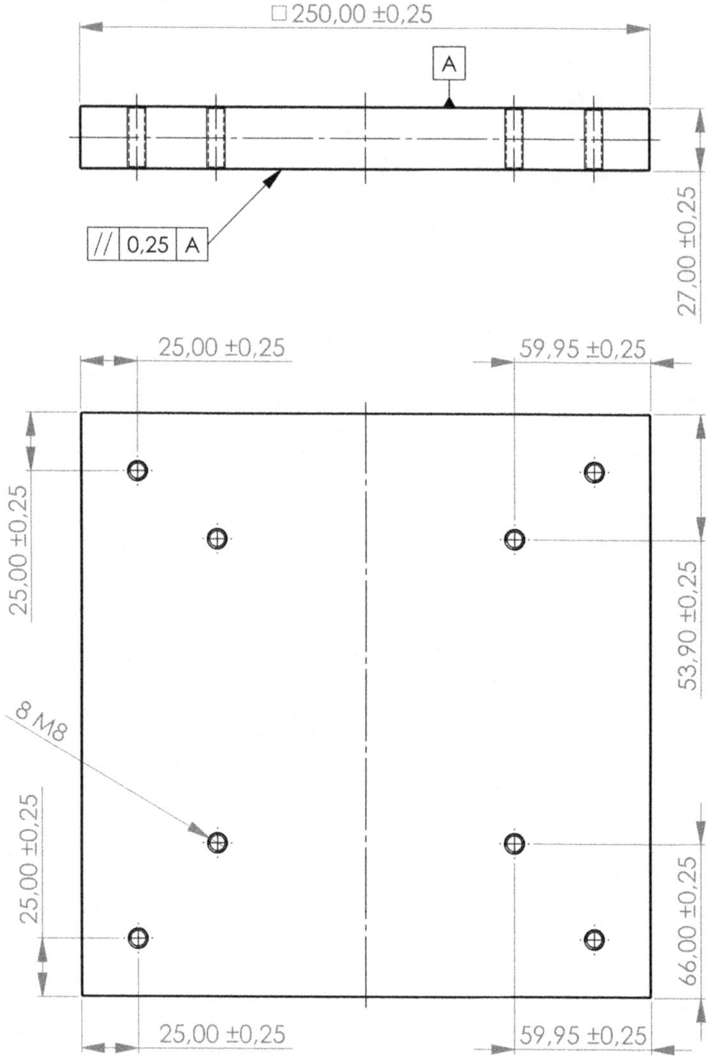

Departamento responsable **Digital Factory**	Referencia técnica **Robert Merz**	Tipo de documento **Placa de montaje**		Estado del documento **Entregado**		
Propietario legal	Autor **Mary Laura Aguilar**	Título suplementario **Tooling**	FS 123 500-3			
	Aprobado por **Robert Merz**		Rev. **A**	Fecha **2018-12-13**	Idioma **en**	Lámina **12/12**

A.4 Presupuesto

Tabla 6. Presupuesto.

Productos	**Costo**
Materiales y herramientas	300 €
Software	100 000 €
Máquinas	1 000 000 €
Total	1 100 300 €

Debido a que el proyecto se llevará a cabo en un Centro de Investigación, algunos de los productos se obtuvieron de forma gratuita donados por socios de investigación, y otros por muy poco dinero para fines de investigación, por lo que en el desglose del presupuesto se encuentran aproximaciones de dichos productos.

A.5 Carta de aceptación por parte de la empresa

FH Vorarlberg
University of Applied Sciences

Higher Education
Learning Agreement form

Mary Laura Aguilar González
Student-ID:

LEARNING AGREEMENT FOR STUDIES

The Student

Last name (s)	Aguilar González	First name (s)	Mary Laura
Date of birth	23.05.1995	Nationality	Costa Rica
Sex [M/F]	Female	Academic year	2018/2019
Study cycle	Bachelor's degree	Subject area, Code	Electronics and automation, 0714
Mobile	+506 8708 8174	E-mail	mary.lauraa23@gmail.com

The Sending Institution

Name	TEC Instituto Tecnologico de Costa Rica	Faculty	Mechatronics Engineering Academic Area
Erasmus code (if applicable)	CRI TEC	Department	Mechatronics Engineering Academic Area
Address	Apdo 159 CRI-7050 Cartago Costa Rica	Country, Country code	Costa Rica, CRI
Contact person name	Araya Pérez, Alejandra	Contact person e-mail / phone	alaraya@itcr.ac.cr +506 2550 2558

The Receiving Institution

Name	Fachhochschule Vorarlberg GmbH	Faculty	Mechatronics (Bachelor)
Code institution (if applicable)	A DORNBIR01	Department	Mechatronics (Bachelor)
Address	Hochschulstrasse 1 6850 Dornbirn	Country, Country code	Austria, AT
Contact person name	Flatz, Corina, BA	Contact person e-mail / phone	corina.flatz@fhv.at +43 5572 792 1204

For Guidelines, please look at Annex 1

Section to be completed BEFORE THE MOBILITY

I. PROPOSED MOBILITY PROGRAMME

Planned period of the mobility: from 27.08.2018 *(day/month/year)* till 22.12.2018 *(day/month/year)*

Table A: Study programme abroad.

Component code (if any)	Component title (as indicated in the course catalogue) at the receiving institution	Semester [autumn / spring] [or term]	Number of credits to be awarded by the receiving institution upon successful completion
10999999	German Culture and Communication	autumn	2,00
			Total: 2,00

If the student does not complete successfully some educational components, the following provisions will apply:

Should the minimum requirements for passing the courses as specified by the Learning Agreement at the host university not be fulfilled it is the student's obligation to clarify with the host institution whether an additional examination date is possible. For examinations during the exchange programme the host's examination regulations apply.

II. RESPONSIBLE PERSONS

Responsible person in the sending institution:

Name: Carrasquilla Batista, Arys, Ing. Function: Departmental Coordinator

Phone: +506 2550 9184 E-mail: acarrasquilla@itcr.ac.cr

Responsible person in the receiving institution:

Name: Steinschaden, Johannes, Dr. Function: Departmental Coordinator

Phone: +43 5572 7920 E-mail: johannes.steinschaden@fhv.at

III. COMMITMENT OF THE THREE PARTIES

By signing this document, the student, the sending institution and the receiving institution confirm that they approve the proposed Learning Agreement and that they will comply with all the arrangements agreed by all parties.

The receiving institution confirms that the educational components listed in Table A are in line with its course catalogue.

The student and receiving institution will communicate to the sending institution any problems or changes regarding the proposed mobility programme, responsible persons and/or study period.

The student Mary Laura Aguilar G

Student's signature: Mary Laura Aguilar González Date: Feb. 21st 2018

The sending institution

FH Vorarlberg
University of Applied Sciences

Higher Education
Learning Agreement form

Mary Laura Aguilar González
Student-ID:

TEC | Tecnológico de Costa Rica
Ingeniería Mecatrónica

Responsible person's signature: Carrasquilla Batista, Arys, Ing. Date: Feb. 21st, 2018

The receiving institution

Responsible person's signature: Steinschaden, Johannes, Dr. Date: 23.02.2018

Annex 1: Guidelines

The purpose of the Learning Agreement is to provide a transparent and efficient preparation of the study period abroad and to ensure that the student will receive recognition in his/her degree for the educational components successfully completed abroad.

How to use the Learning Agreement:
Before the mobility, it is necessary to fill in page 1 with information on the student, the sending and the receiving institutions and the three parties have to agree on the section to be completed before the mobility (pages 2 and 3).

A.6 Hoja de información del proyecto

Datos del estudiante:

Nombre: Mary Laura Aguilar González

Cédula: 304870230 **Carné ITCR**: 2013052959

Dirección de su residencia: Barrio Asís, Cartago

Teléfono celular: 8708 8174

Correo electrónico: mary.lauraa23@gmail.com

Información del proyecto:

Nombre del Proyecto: Desarrollo e implementación de un prototipo funcional para la Fábrica Digital

Información de la empresa:

Nombre: Universidad de Ciencias Aplicadas de Vorarlberg

Actividad Principal: Investigación para Tecnologías de Producción Futura

Zona: Dornbirn, Vorarlberg, Austria

Dirección: 6850 Dornbirn, Austria

Teléfono: +43 5572 792 1200 / +43 5572 792 9502

Información del encargado/asesor en la empresa:

Nombre: Robert Merz

Puesto que ocupa: Jefe de Producción Futura

Departamento: Investigación

Profesión: Profesor **Grado académico:** Doctor

Teléfono: +43 5572 792 3031

Correo electrónico: robert.merz@fhv.at

Made in United States
Orlando, FL
04 May 2022

17492819R00055